pocket size
WORD HUNT™

Visit our website to find more quality products:
www.pappinternational.com

Want more puzzles? Visit:
www.pappgames.com

PAPP International Inc.
3700 Griffith St., Suite 395,
Montreal (Quebec), Canada H4T 2B3

How to solve a Word Hunt™ puzzle

Each puzzle consists of a grid of letters and a list of words. The objective is to locate all of the words hidden in the grid and (circle) them.

The hidden words can be found in any direction: **up, down, forward, backward,** or **diagonally.**

The words are always found in a **straight line** and **letters are never skipped.**

The spaces between compound words are removed. For example, **"WORD HUNT"** would be found in the grid as **"WORDHUNT."**

```
D R A W K C A B  S B
R I O F O R W A R D
S P A A K E R R E A
P E R G Y M E E L A
U L N C O G V L R A
T D F E A N A E N G
T O B D L E A I M H
P W I S G R V L M T
H N E K A E A S L O
W O R D H U N T K Y
```

~~UP~~   ~~BACKWARD~~
~~DOWN~~   ~~DIAGONALLY~~
~~FORWARD~~   WORD ~~HUNT~~

To solve the puzzle, circle each word as you find it in the grid. Then cross it off the list, and continue until every word has been found.

Get over 600 puzzles a year delivered right to your home!
Turn to the last page to find out how ...

For Reference

```
T  R  B  H  T  B  T  L  F  N  P  P  X  A  F
T  D  S  U  O  C  I  V  R  O  V  K  M  L  A
E  O  S  T  L  D  R  O  W  Y  E  K  Y  A  A
L  T  U  M  Y  L  R  S  G  T  Y  E  T  Q  P
F  Y  N  X  H  L  E  E  G  R  R  L  E  F  S
A  K  O  D  P  F  P  T  U  E  A  E  D  O  U
E  N  I  Z  A  G  A  M  I  S  N  P  V  O  R
L  D  T  A  R  I  P  A  D  N  O  R  H  D  U
I  D  I  L  G  I  S  G  E  Z  I  P  E  Y  A
R  G  D  M  O  N  W  T  B  H  T  S  L  C  S
O  S  E  A  I  D  E  P  O  L  C  Y  C  N  E
C  P  B  N  L  E  N  W  O  L  I  F  T  A  H
M  Q  J  A  B  X  S  W  K  I  D  K  L  O  T
H  A  O  C  I  N  T  E  R  N  E  T  U  L  E
E  U  C  A  B  J  T  A  G  Z  H  C  B  F  S
```

ADVERT	BULLETIN	GENRE	LEAFLET
ALMANAC	DICTIONARY	GUIDEBOOK	MAGAZINE
ATLAS	EDITION	INDEX	MAP
BIBLIOGRAPHY	ENCYCLOPEDIA	INTERNET	NEWSPAPER
BIOGRAPHY	FLYER	KEYWORD	THESAURUS

Worms

```
P  H  Q  H  R  T  T  T  K  T  U  X  V  T  K
I  A  I  C  O  D  E  S  S  B  T  T  Q  S  N
L  H  J  N  U  L  O  V  I  I  S  E  L  X  C
R  R  G  I  N  A  U  J  L  S  X  Q  P  S  O
O  U  T  M  D  C  E  K  I  E  R  N  U  O  L
E  R  A  Z  A  E  E  L  T  P  V  O  B  G  P
C  I  P  R  E  F  T  T  T  F  B  B  E  U  X
U  A  E  K  R  A  L  N  L  S  A  B  B  G  L
Z  H  N  F  H  O  X  A  E  D  I  I  R  A  S
L  E  E  K  T  Z  W  K  T  M  I  R  O  R  R
A  S  I  K  E  N  P  N  R  U  G  B  B  P  H
R  R  O  O  T  R  K  R  E  D  N  E  O  U  C
H  O  R  S  E  S  H  O  E  F  X  A  S  U  P
H  H  A  P  Z  L  T  C  H  T  R  A  E  G  S
S  R  U  F  T  R  W  A  J  F  L  R  M  P  S
```

ACORN	FLAT	JAW	SEGMENTED
ARROW	HOOK	LITTLE TREE	TAPE
BRISTLE	HORSEHAIR	PEANUT	THREAD
CANKER	HORSESHOE	RIBBON	TONGUE
EARTH	INCH	ROUND	VELVET

Sizzling Sausages

```
D  A  A  P  O  E  K  O  M  S  F  L  A  H  Y
W  E  N  H  S  R  E  H  C  T  U  B  W  L  Z
B  Q  T  D  O  W  A  M  G  O  H  O  Y  P  O
N  R  N  R  O  T  I  A  E  N  B  L  Y  V  Z
L  P  E  L  N  U  L  N  R  N  A  O  C  W  T
T  L  I  A  L  I  I  I  O  E  T  G  X  N  T
A  I  B  T  K  O  D  L  N  R  T  N  J  O  L
T  A  A  T  A  F  R  U  L  K  E  A  A  N  R
T  T  T  E  J  L  A  E  O  E  R  P  Z  A  L
E  K  S  T  Y  Q  I  S  G  B  E  W  P  B  Y
O  C  H  I  P  O  L  A  T  A  D  A  R  E  I
G  O  D  T  O  H  T  B  N  B  S  R  G  L  P
S  C  H  A  U  D  I  N  F  U  P  U  A  X  X
E  R  N  L  R  E  T  R  U  F  K  N  A  R  F
B  I  R  J  G  P  N  A  I  S  K  E  I  S  O
```

ANDOUILLE	BUTCHERS	GOETTA	ITALIAN
BATTERED	CHAUDIN	HALF-SMOKE	LEBANON
BOLOGNA	CHIPOLATA	HOG MAW	PEPPERONI
BOUDIN	COCKTAIL	HOT DOG	SAUSAGE ROLL
BREAKFAST	FRANKFURTER	HOT LINK	STONNER KEBAB

Cityscape

```
Q U Z A B S E O U S I S P B R
C E O A B U E U T H D S N L S
G D S C G U S G H O U S O P M
S E S U B S I T D R D I I S U
P I B R I G H T L I G H T S S
E C G D I B H W V E R L U K E
E P A H A I T E O L D B L Y U
D Z L E T Z R H R T H C L S M
D R E R P S E T E R C N O C S
E T F U I T I F F A R G P R D
S S W T G I K A O F T R Z A W
Y R Y L E I J T F F F E F P O
S K A U O G N I N I D I R E R
S L I C N L U C S C L P I R C
O O S M S I R U O T R I Z S E
```

BRIDGES	CONCRETE	GRAFFITI	SKYSCRAPERS
BRIGHT LIGHTS	CROWDS	MUSEUMS	SPEED
BUSES	CULTURE	PIGEONS	THEATER
BUSTLE	DINING	POLLUTION	TOURISM
CARS	DIVERSITY	SIGHTS	TRAFFIC

Coffee Drinks

```
D C E Y E G A L O I P P O D T
S O A E X T M O G V H A F E H
U N D F C E T S U I M N V X T
C I X A E A N A I E A P N O C
A S P K T Z F S L N O A A N D
P S R O I R O F L N S T R I S
P E M P H A O R E A S W G C M
U R A I W W I C R C E M A C A
C P C S T B H R M O R C Z O W
C S C U A E R I O F P E A T T
I E H S L M U E T F S R M N T
N V I U F E M X V E E N H A S
O N A C I R E M A E F F A C S
J O T T E R T S I R T H O B O
E G O N G G E G R L T M I V T
```

ANTOCCINO   CAPPUCCINO   ESPRESSO   LATTE
BREVE   CORTADO   FLAT WHITE   MACCHIATO
CAFE ZORRO   DOPPIO   GUILLERMO   MAZAGRAN
CAFFE AMERICANO   EGGNOG   IPOH WHITE   RISTRETTO
CAFFE CREMA   ESPRESSINO   KOPI SUSU   VIENNA COFFEE

Counties in Georgia

```
U L U M P K I N R N E D M A C
S R R I C E S F M B M W R F E
Y B P T W I F D E O A A A S J
E R S Q L I N C O L N R E Y S
T H O N B O P T O M U R R A Y
T A N I I N N R O T E E O O D
H A H N E K A A S S L N G E W
J S J L H B N W G T H O M A S
A A K L U Q R E C R I S P B L
G T E N V O V T J C O A O U Z
M T F G D A W S O N J M X X W
S K E A I M G F Y A L C C X R
M S D N S L F F A Y R E R Q A
H E L C I E K S M R H G B X O
W O A U E Y A A Q B O A T A Z
```

BARROW	CRISP	LINCOLN	MURRAY
BRYAN	DADE	LUMPKIN	RABUN
CAMDEN	DAWSON	MCINTOSH	STEWART
CLAY	EMANUEL	MONROE	THOMAS
COFFEE	JENKINS	MORGAN	WARREN

Wildflowers

```
F  R  F  O  R  G  E  T  M  E  N  O  T  K  R
C  H  O  N  E  Y  S  U  C  K  L  E  C  J  E
F  L  A  S  T  W  A  L  L  F  L  O  W  E  R
R  S  O  D  S  C  A  R  L  E  T  S  A  G  E
X  W  Y  V  A  O  O  C  M  S  Y  P  Z  O  V
D  A  N  D  E  L  I  O  N  O  M  A  I  S  O
O  I  L  E  I  R  N  R  I  R  O  K  P  F  L
B  T  S  F  R  M  S  N  W  J  V  U  P  A  G
S  E  R  S  I  D  V  F  P  A  J  G  R  A  X
D  D  X  N  A  V  R  L  Q  V  C  K  S  S  O
A  O  T  T  R  U  L  O  W  H  S  R  L  T  F
I  G  S  G  P  I  T  W  E  P  M  H  D  R  Y
S  U  S  L  L  E  B  E  U  L  B  S  X  S  A
Y  P  P  O  P  U  C  R  E  T  T  U  B  O  V
S  R  S  S  A  H  C  N  R  Z  A  R  P  D  S
```

BLUEBELL	DANDELION	HONEYSUCKLE	ROSE
BUTTERCUP	FLAX	LARKSPUR	RUSH
CLOVER	FORGET-ME-NOT	LEMON MINT	SCARLET SAGE
CORNFLOWER	FOXGLOVE	POPPY	STOCK
DAISY	GODETIA	PRAIRIE ASTER	WALLFLOWER

Astrology

```
H T R A B S Y L C G P I S H D
W N T L I E E L A C S S T E V
T U E G P L O P M L M R P Q R
R D D V K E I V O N K N B N A
K Y R T A M J O U C Z A Q O L
P M K U T E C S N P S H O I O
F A Q R U N H S T C S O U P U
M R I Z E T A D A N U U R R R
R I I A T S I D I F I S H O E
A F A S C T L W N M U E P C H
A C B U I E T M G E C S A S C
G P R U A N S T O V C O M R R
R E L P L A G O A O X S A H A
G T S H R L E H T E N B A Z R
O G T S S P X Y A S U U A Y U
```

ARCHER   ELEMENTS   MIDHEAVEN   RISING
ASCENDANT   FISH   MOON   SCALE
BULL   HOROSCOPE   MOUNTAIN GOAT   SCORPION
CRAB   HOUSES   PLANETS   SUN
CUSP   LION   RAM   TWINS

Things with Strings

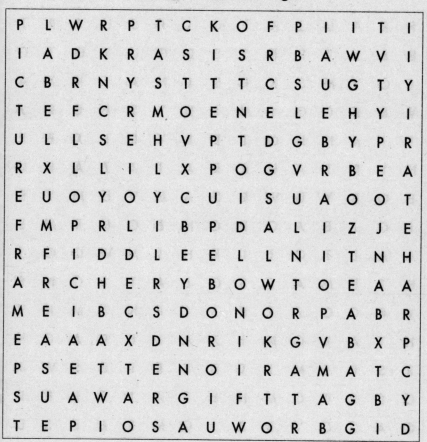

```
P L W R P T C K O F P I I T I
I A D K R A S I S R B A W V I
C B R N Y S T T T C S U G T Y
T E F C R M O E N E L E H Y I
U L L S E H V P T D G B Y P R
R X L L I L X P O G V R B E A
E U O Y O Y C U I S U A O O T
F M P R L I B P D A L I Z J E
R F I D D L E E L L N I T N H
A R C H E R Y B O W T O E A A
M E I B C S D O N O R P A B R
E A A A X D N R I K G V B X P
P S E T T E N O I R A M A T C
S U A W A R G I F T T A G B Y
T E P I O S A U W O R B G I D
```

APRON	DOUBLE BASS	KITE	PICTURE FRAME
ARCHERY BOW	FIDDLE	LABEL	PUPPET
BALLOON	GIFT TAG	MARIONETTE	TEA BAG
BANJO	GUITAR	PARCEL	WIND CHIME
CELLO	HARP	PIANO	YO-YO

Quiet

```
F R A U J A F C I P S U P B T
E B L T R E S E D O U R Q T C
I O Y M S K R B L N A T K X A
V R R C O I M I D Y S E E R J
I I A N H O T E E V E L X B P
N Y R T A U R R A I I Z A R U
E O B Y D W R G A D V U M Y E
I G I E A O P C N E O U R M L
A A L T O I L K H I M W O O J
H T E M A I S O L A T I O N F
V R C O Z T R J I P N I M K V
H T A B G N I X A L E R A C K
R S P E M I T D E B L E S W A
O E S U O M H P E A I S L R R
Q A G Q V B Z J Q M S L E S D
```

BEDTIME
CHURCH
DESERT
EXAM ROOM
ISOLATION

LIBRARY
MEADOW
MEDITATION
MIME ARTIST
MONK

MOUSE
PRAYER ROOM
RELAXING BATH
SILENT MOVIES
SLEEP

SOLITUDE
SPACE
UNDERWATER
WAITING ROOM
YOGA

Children's Outdoor Play

```
S  H  K  E  L  T  D  U  K  I  C  T  F  M  T
U  J  C  R  O  R  N  I  N  E  P  I  N  S  X
E  U  K  T  E  H  U  L  A  H  O  O  P  E  T
N  M  Z  I  O  T  P  L  R  E  D  O  L  L  T
I  P  A  R  S  C  O  O  E  D  M  V  A  B  E
L  R  I  R  A  D  S  O  C  I  I  R  Y  R  N
O  O  X  T  F  E  I  P  C  L  N  Z  H  A  O
P  P  E  J  E  G  W  G  O  S  I  T  O  M  N
M  E  L  S  R  T  N  N  S  H  G  S  U  B  M
A  W  A  T  E  R  P  I  S  T  O  L  S  I  Y
R  W  B  A  T  A  N  D  B  A  L  L  E  K  D
T  P  X  O  B  D  N  A  S  M  F  E  L  E  W
K  A  W  S  T  A  U  W  S  W  I  N  G  S  R
S  I  D  P  A  S  Z  L  S  Z  S  L  A  E  B
R  V  T  R  V  J  O  C  U  Q  F  Y  C  U  R
```

BAT AND BALL	JUMP ROPE	SANDBOX	SWINGS
BIKES	MARBLES	SCOOTER	TENT
CLIMBING FRAME	MINI-GOLF	SEE-SAW	TRAMPOLINE
HOPSCOTCH	NINEPINS	SLIDE	WADING POOL
HULA-HOOP	PLAYHOUSE	SOCCER	WATER PISTOLS

Positive Traits ...

```
X E K C O U R A G E O U S N Q
O D W L L U H A P P Y O K I H
I S R A Q V E E T T I U S C I
Q E I C O N S I D E R A T E W
U L S E A Y M R S R W I T T Y
F G R E L I D T S U J X L A G
C A L M S B R A V E O I U N X
R K I T E T A Y L U L R T O V
F V I T N Q P E L O L G R I J
J C U N H S R X E E Y D D T T
T P H H D F O T T R V A U C M
R X T E S L U F T H G I L E D
S E A G E R D L B R D A L F R
U Y T N E R L Q T Y W R D F H
I N F U N N Y R A M T U T A S
```

AFFECTIONATE	CONSIDERATE	FUNNY	LOYAL
AGREEABLE	COURAGEOUS	HAPPY	NICE
BRAVE	DELIGHTFUL	JOLLY	OPTIMISTIC
CALM	EAGER	KIND	PROUD
CHEERY	FAITHFUL	LIVELY	WITTY

... Negative Traits

```
A  I  D  G  R  E  M  N  E  I  I  R  M  S  K
S  U  O  I  X  O  N  B  O  D  A  E  R  R  D
Z  A  R  S  S  E  L  T  H  G  U  O  H  T  U
Y  Y  R  G  N  A  A  U  N  C  A  R  I  N  G
R  I  A  A  A  R  G  U  X  D  F  I  Y  G  N
A  Z  H  O  C  N  G  R  E  E  D  Y  R  N  I
C  E  O  S  R  L  S  T  E  R  D  U  R  R  T
S  S  E  V  I  T  A  T  N  E  M  U  G  R  A
Y  U  N  O  T  F  E  Z  T  P  A  T  O  E  D
A  T  O  O  I  T  L  T  Y  M  T  B  L  C  I
H  B  O  L  C  U  S  E  D  E  C  A  L  R  M
A  O  H  H  A  B  O  A  S  T  F  U  L  E  I
W  N  Y  O  L  E  Y  T  L  D  T  H  A  I  T
G  S  E  T  Y  U  J  R  R  A  Q  U  T  F  N
M  T  P  A  X  Z  U  P  F  B  U  O  I  A  I
```

ANGRY	DISAGREEABLE	JEALOUS	SCARY
ARGUMENTATIVE	FIERCE	LAZY	SELFISH
BAD-TEMPERED	GREEDY	OBNOXIOUS	TETCHY
BOASTFUL	GRUMPY	OBTUSE	THOUGHTLESS
CRITICAL	INTIMIDATING	RUDE	UNCARING

Crime and Retribution

```
B Y D O T S U C M A P T G P P
N I R Z S T I L J L H T G T I
O D R A U G F L A P A K U S E
S Q E S I C R E X E T X G S I
I L H Z O T T C N I P P I U O
R S E T A M N I M C F P K S A
P F P F E C N E T N E S A Q U
H R F A C I L I T I E S A Y F
D R O C E R L A N I M I R C D
B A T B I R A G N O N L O S I
I N B R A J N O I T N E T E D
Q R R A I T I E L O R A P J L
R O S R L V I H R C U R A E J
S R E C I F F O A Q F I T S I
D Y R U J U V E N I L E U R K
```

APPEAL	EXERCISE	JAIL	PENITENTIARY
CELL	FACILITIES	JURY	PRISON
CRIMINAL RECORD	FENCES	JUVENILE	PROBATION
CUSTODY	GUARD	OFFICERS	SENTENCE
DETENTION	INMATES	PAROLE	TIME

Eyes

```
C D A A R P U R Z T B A U A K
C T S U E E P T W B S B F T
O S S E A A L Q E K R I T P X
O N P H F I B W A H P X E L J
E E A E D J I U H D E E D H P
O L R S C U N O N A R I W T R
I T K K O T K A A T L I P U P
O C L N E C A S N A N B R H F
P A E I R G K C T K I R I S Q
J T G L A N C E L G G O G A P
A N W B T A N I T E R W A L I
J O L I S G S T O S S R Z A S
S C H C T A W D R G G T E U E
K U H A T C E U S X T A A T A
F R L Q D O H I J N G L A K A
```

BLINK	GLANCE	PEEP	SPECTACLES
BROW	GOGGLE	PUPIL	STARE
CONTACT LENS	IRIS	RETINA	TWITCH
DILATE	LASH	SOCKET	WATCH
GAZE	LIDS	SPARKLE	WINK

Pennsylvania

```
A L V F Y E Y E I R E E K A L
B E T A T S R E K A U Q D P I
R R A I H P L E D A L I H P Q
O U E S N A G S M W S O P A B
O A F V T D R N F I R E F L Y
K L L F I E E R I Y L O E A G
T N I L E R R P I D D K O C R
R I B O E D E N E S A H J H E
O A E E C N G R H N B E O I A
U T R U U G T R A E D U R A T
T N T J I T H O O W M E R N D
E U Y F M R R J W U A L N G A
A O Y O T M Q I G N S L O C N
W M O U N T D A V I S E E C E
Z H G R U B S T T I P A Q D K
```

ALLENTOWN	FIREFLY	LIBERTY	PITTSBURGH
APPALACHIAN	GREAT DANE	MILK	QUAKER STATE
BROOK TROUT	HARRISBURG	MOUNT DAVIS	READING
DELAWARE RIVER	INDEPENDENCE	MOUNTAIN LAUREL	RUFFED GROUSE
EASTERN HEMLOCK	LAKE ERIE	PHILADELPHIA	VIRTUE

In the Bathroom

```
Q R M N E E R C S R L X L O A
F W U I R V C C H E A R E L S
A A S A R J O H O L I E T E L
G T G V A R L S W M M N S N R
R S T S Z W O U E B B O A N L
E J R T O U O R R I O I P A S
F C T S R A F B G E L T H L D
F A M U R A A G E C E I T F S
U B F O T T H N L T G D O L E
S I W O H X I I X E G N O P S
G N W M R B P V R E P O T O I
U E A O O P M A H S E C L N N
L T R A E I Q H C G O K M T K
P N E R B E B S O A P X H U E
E H S U R B H T O O T Q F P D
```

BATH MAT   LOOFAH   SCREEN   SOAP
CABINET   MIRROR   SHAMPOO   SPONGE
COMB   NAIL CLIPPERS   SHAVING BRUSH   TOOTHBRUSH
CONDITIONER   PLUG   SHOWER GEL   TOOTHPASTE
FLANNEL   RAZOR   SINK   TOWEL

Comfort Food

```
E E B V T D U M P L I N G S R
J I K P I T T E H G A P S W T
W A P A S E I R F H C N E R F
D K P N B T E R G T L A O G F
S E H P E A N U T B U T T E R
I D J A L K T R P I Z Z A C I
C C S J O E C S I C W T T T E
E H R O N F P I A C A G O A D
C O F T C R R I H P A S P T C
R C L Y V A R G E C M K D T H
E O R O A S T C H I C K E N I
A L R E G R U B E S E E H C C
M A C A R O N I C H E E S E K
T T U N A M E L T L I S A U E
K E D W S L L A B T A E M T N
```

APPLE PIE	DUMPLINGS	MACARONI CHEESE	PIZZA
CAKE	FRENCH FRIES	MASHED POTATOES	ROAST CHICKEN
CHEESEBURGER	FRIED CHICKEN	MEATBALLS	SPAGHETTI
CHICKEN PIE	GRAVY	PASTA BAKE	TACOS
CHOCOLATE	ICE CREAM	PEANUT BUTTER	TUNA MELT

C Words

```
K X C L O W N S H G H T S T C
Z O L S H Y R G N I L C X H T
S L O U N E T P R U R H F B A
S W V A H I L I H U G A E W T
X I E A U R A I S S L I D P B
A A L G S A A T D O Z R O Q P
G G D I N H I L R O I A M S R
R M D E D E T A L U C R I C S
R S U A A O L A S E C O U C O
A D C L O C K L N I C R R C P
N V G U O L R T A Z B Y I C M
F F R P Z R U E B H P U Q B S
I O C H U R C H E T C R E A M
A T F K Y T O I I P J R G C V
B L U F E R A C E K T A B T L
```

CAREFUL	CHURCH	CLOWN	CRUST
CELLAR	CIRCULATE	CREAM	CRYPTIC
CENTURY	CLING	CREEP	CUDDLE
CHAIR	CLOCK	CRIB	CURIOSITY
CHALLENGE	CLOVE	CROCODILE	CURTAIN

Islands of the Bahamas

```
L X G J Y S W E T R D A R H L
E B K D E G G A R Q V U H E K
Y S R E Y A N R T O Z F F W H
U O O O T U J O R L J N S S J
E B E R R Y M D L O I E A D O
R R I E X U M A E C R N U S R
K I L M D B S V S K S U G P Q
F I I R I V E L I W Z T A U O
X L C L S N Q A E E P R N S T
S X R S C R I S F R A O I S S
W G O D O Z L N J D A F E H A
R T O P V U I A I N S N R M D
Y H K M E E K S P A T C H P U
Q K E E R C E O J V A D R A U
B P D E Y D R T W A C X R Z B
```

ANDREW	DISCOVERY	JOE CREEK	RAGGED
BERRY	EXUMA	LEVI	ROSE
BIMINI	FORTUNE	LONG	SAN SALVADOR
CAT	GUT	MEEKS PATCH	WATLING
CROOKED	INAGUA	PARADISE	YUMA

Pharaohs of Ancient Egypt

```
F  J  U  T  E  Y  H  S  S  X  O  S  T  S  O
L  L  A  L  S  R  M  E  H  B  I  S  L  A  V
D  F  A  E  C  I  N  E  R  E  B  K  T  T  P
E  T  Y  A  J  L  D  E  L  I  N  L  T  R  O
C  R  L  N  B  S  E  R  M  O  H  E  R  A  P
W  W  O  K  A  X  F  O  E  E  T  O  H  H  R
T  E  A  H  Q  R  P  S  P  M  S  P  R  A  U
X  T  C  M  P  E  T  U  B  A  S  T  I  S  X
D  H  S  A  B  A  B  A  H  K  T  Z  A  A  M
A  R  U  K  M  E  N  X  X  T  H  R  A  M  I
P  I  I  I  T  B  U  O  T  E  S  Y  A  L  P
E  R  R  S  D  S  Y  A  R  I  R  U  A  R  A
P  I  A  N  K  H  A  S  N  G  U  X  Z  N  I
I  I  D  P  A  A  N  O  E  E  U  L  E  S  S
G  A  B  U  A  K  E  N  T  S  A  H  B  S  I
```

ANKHMAKIS	CAMBYSES	KHABABASH	PIANKH
APEPI	CLEOPATRA	KHYAN	PTOLEMY
ARSINOE	DARIUS	MASAHARTA	SEMENRE
ARTAXERXES	HERIHOR	NEKAUBA	SHENEH
BERENICE	HUGRONAPHOR	PETUBASTIS	SMERDIS

Sea Captains

A	B	A	I	N	B	R	I	D	G	E	G	K	Z	J
A	U	P	S	O	E	U	L	N	S	N	C	Q	C	R
N	C	L	M	S	R	R	P	Y	E	N	R	A	B	N
T	H	U	A	R	W	Q	T	M	U	L	Z	A	C	B
E	A	D	C	E	I	R	K	D	M	P	S	R	S	I
J	N	O	D	D	C	S	V	D	A	Y	T	O	G	M
Z	A	R	O	N	K	Y	Z	O	E	E	L	O	N	O
I	N	W	N	A	A	F	D	O	P	C	L	T	I	E
O	O	R	O	X	A	L	F	W	H	N	A	P	H	E
Y	R	I	U	E	L	A	L	L	I	U	W	T	S	O
L	R	S	G	L	P	V	E	E	L	A	R	B	U	H
L	A	R	H	A	X	E	I	Z	L	H	E	A	C	R
U	B	D	A	T	E	L	V	A	I	C	N	X	T	C
H	K	T	D	B	W	D	H	H	P	R	C	C	M	M
L	P	P	H	L	P	B	L	Q	S	F	E	M	O	U

ALEXANDERSON   BERWICK   FLAVEL   MACDONOUGH
BAINBRIDGE   BUCHANAN   HAZELWOOD   MCCLELLAND
BARNEY   CHAUNCEY   HULL   MULZAC
BARRON   CUSHING   LADD   NELSON
BARRY   DECATUR   LAWRENCE   PHILLIPS

Utter Nonsense

```
S  C  N  I  P  R  A  T  T  L  E  X  I  Y  T
U  I  U  H  L  O  R  B  E  P  I  R  T  A  H
P  H  L  L  S  E  P  G  A  L  I  W  L  T  Q
F  O  L  L  Y  I  V  P  B  L  A  R  D  T  B
H  O  T  A  I  R  R  Y  Y  D  O  O  S  I  L
V  Z  O  P  A  N  R  E  D  C  U  N  L  A  T
K  O  O  G  Y  D  E  L  B  B  O  G  E  S  Y
R  B  A  B  B  L  E  S  L  B  E  C  M  Y  B
N  E  P  I  F  F  L  E  S  W  I  L  K  Z  U
H  S  A  D  R  E  D  L  A  B  C  G  Q  F  N
U  T  U  O  M  U  M  B  O  J  U  M  B  O  K
U  A  T  C  T  O  M  F  O  O  L  E  R  Y  U
P  O  P  C  P  R  S  B  F  S  M  A  T  G  M
T  B  H  A  Q  X  F  E  C  X  W  L  Y  B  B
Q  R  A  S  O  L  U  D  I  C  R  O  U  S  O
```

BABBLE	DOUBLE DUTCH	LUDICROUS	ROT
BALDERDASH	FOLLY	MUMBO JUMBO	SILLINESS
BALONEY	GIBBERISH	PIFFLE	TOMFOOLERY
BILGE	GOBBLEDYGOOK	POPPYCOCK	TRIPE
BUNKUM	HOT AIR	PRATTLE	TWADDLE

Take a Look

```
L E J B O E O R C H T R L Q T
E P Y T N L G H C T A W B E Q
D U I U T A E M P K R P S A O
F A G T Z C C M H U Z L S C N
X U R E K O U S T A R E L I O
S L L L E N E U T G R R Z J T
P H U P V T N Y L Y N O E R V
E U W L R E I I E L F L E F R
A Y D U E M M S L B I P Y F S
A S P E E P A Q E R N X S U W
S E E D S L X U O B S E R V E
U O Q E Z A E I B P P V K R I
S S C R U T I N I Z E E P R V
A G O O V E R T I Y C E E S H
H U Z I O V R Y D U T S D K L
```

CHECK   GAZE   PEEK   STARE
CONTEMPLATE   GLIMPSE   PEEP   STUDY
EXAMINE   GO OVER   SCAN   SURVEY
EXPLORE   INSPECT   SCRUTINIZE   VIEW
EYE   OBSERVE   SQUINT   WATCH

Words from WASHINGTON

```
A L S T S S E O O K S O L D Z
R O L T N B W T S G H O W T F
Y J K A E A G A I A U A U R J
Z A T O O G I N N C U L J U R
K O S G K N S G A D L I I T P
T N A E T I J O A S E U T X B
O I T T A W A U T E H U U P R
N G T H H A A A R O T W L X O
E N I A T S W C T K U U T H X
I A B W A N N Z I W W I G M U
V W H I U O I Q A A V N I Z R
K W A N T I N G G U L U O G G
U A N G S T G O P H E F U T E
U W L L R A N O I N T U J W S
X M P B S N R O L A T L H E V
```

ANGST	GIANT	NATIONS	SWAN
ANOINT	GNASH	OATHS	TANGO
AWNING	GNAW	SAINT	THAWING
GAIN	GOAT	SAWING	WAGON
GAIT	HANG	STAIN	WANTING

Inside and Outside

```
B  R  S  I  Y  C  R  F  L  O  W  E  R  S  A
B  O  I  I  O  U  A  N  R  C  X  M  W  L  N
P  P  U  K  G  R  G  S  O  S  O  S  A  I  S  O  D
Z  N  H  N  A  M  E  N  I  C  M  T  T  I  U
A  O  R  O  C  K  C  L  I  M  B  I  N  G  C
U  V  T  K  T  E  P  S  I  N  C  I  U  N  A
X  M  G  S  R  O  H  N  E  E  N  R  H  I  T
U  E  A  T  L  O  G  O  C  G  E  U  E  L  R
B  X  J  S  W  E  W  R  U  S  O  N  R  C  H
D  R  F  E  S  M  E  R  A  S  T  R  U  Y  T
N  U  R  Q  R  A  X  P  E  P  E  N  S  C  Y
U  Z  S  I  M  R  G  L  I  P  H  N  A  A  Q
O  S  Q  O  Z  K  S  E  V  N  R  Y  E  L  I
A  M  Y  A  J  E  R  T  T  Z  G  M  R  Y  P
G  V  R  S  U  T  R  E  T  A  E  H  T  R  T
```

BOUNCE HOUSE	FLOWERS	PLANTS	SWIMMING
CINEMA	ICE CREAM	ROCK CLIMBING	THEATER
CONCERT	MARKET	RUNNING	TREASURE HUNT
CYCLING	MASSAGE	SHOWER	WORK
DINING	PHOTOGRAPHY	SLEEPING	YOGA

Ill at Ease

```
H V Z B G M D T A S R T W W L
H O E V G N F A L Z C I O S L
T C R Q A N P Y U L S A R K E
I A A R D U I P T N H F R N A
W T P N I E R L B D T D I E O
A F P I X F L Q B E O E E Z D
X R R D T I I T T M P L D O V
B I E O E T O E T R E T I R X
S G H W R X R U D A T R S F F
P H E L O R E E S L R A T O B
O T N N I A R L R A I T U J E
O E S F U T E S P U F S R F V
K N I C T F O T K R I X B E D
E E V P E R T U R B E D E A N
D D E S S E R T S I D P D T A
```

ALARMED	DISTURBED	PERTURBED	STARTLED
ANXIOUS	FRIGHTENED	PETRIFIED	TERRIFIED
APPREHENSIVE	FROZEN	RATTLED	TREMBLING
DAUNTED	HORRIFIED	SCARED	UPSET
DISTRESSED	PERPLEXED	SPOOKED	WORRIED

Marathon

```
T X G J Y R W B A R C K S B S
R C F Z X X N G A C K F S P D
P S P O N S O R S H I P R I W
Q L U T E A I N I N T I O C O
S G P S L S T I R O N M A N R
N O L H T A I R T T L E D S C
R E T Y R R T R E N N U R Y A
Z M E D A L E G N E L L A H C
X T R R I A P T P P Q O C P P
K O E A N R M B C D R H E O T
R S E T I E O H T H A C Q R A
T U Q E N S C V I R I T A T L
U L R O G H A A I L T I T T V
N R F A D L A T P M L T U P R
J P Q U U A Y R P R A S A A D
```

CHALLENGE   HILLS   REST   STITCH
CHARITY   HYDRATE   ROAD RACE   STRETCH
COMPETITION   IRONMAN   RUNNER   TRAINING
CROWDS   MEDAL   SPONSORSHIP   TRIATHLON
GOAL   PACE   SPRINT   TROPHY

Popes

```
L P O S C N J A R N R B I U C
N G U T S I O E L Z Q R T L O
L R B P G Q H L Y A P B E O A
Q E C A F I N O B T E M Q R O
X G S M L A K G T N E S B A P
U O S A D E U G E N I U S P W
R R J R L K X D T P N S U I P
B Y I T K O I A L X N I I Y G
A A L I N C H X N X O C R Z D
N S V N T L S C S D C N O T A
N R C E L E S T I N E A N F O
C A A P B A P I X N N R O I L
R T H E C I S A T N T F H S J
H Z J U S U I L U J H O N Q P
A F S D T A U Y S L O W Z T T
```

ADRIAN	CLEMENT	INNOCENT	NICHOLAS
ALEXANDER	EUGENIUS	JOHN	PAUL
BENEDICT	FRANCIS	JULIUS	PIUS
BONIFACE	GREGORY	LEO	SIXTUS
CELESTINE	HONORIUS	MARTIN	URBAN

Temperature

```
I M Y T T Z M L M T X A N V K
F I L A C I P O R T A E H O T
F E L T S O D O V T Y V P T C
V K I S H E D C G T H E R L K
D C H F R E E Z I N G O U C Q
G O C A G L R E Z E I D O Y M
U Z T R S D H M R I R L M A T
T E E I U N Z S A E D I I T Y
F E U M E V H S T L V M S O R
S S Q R O A S T I N G E F A B
M F H A H L I G T K V A F X C
R A V W T B A L M Y T S F M T
F I V X K L U J R P R T R A P
S R N W U G R K U I X A J S S
E C R Q H P F R L A X I N R P
```

BALMY	COLD	FEVER	MODERATE
BITTER	COOL	FREEZING	ROASTING
BOILING	DEGREES	HEAT	THERMAL
CELSIUS	FAHRENHEIT	HOT	TROPICAL
CHILLY	FAIR	MILD	WARM

When in Rome ...

```
R A A U I C A T A C O M B S Z
R L J S O S N R A I Y R Y S F
F R N I I E O L T R E L S P S
R E I S I U V C E C N Z A E O
T N A T A T A A M U O M E T T
V A T I C A N M U S E U M S I
J I N N Z T A P E M H R P H Q
B S U E U S Z O S A T O I S X
Z S O C U H Z D S X N F R I Y
R A F H S T A E O I A N E N L
M N I A S A I F L M P A M A L
E C V P R B P I O U A M J P S
Z E E E M O T O C S S O Y S C
K U R L P T E R Z T T R L R B
U I T E D N O I H S A F W U U
```

ART	COLOSSEUM	PASTA	SISTINE CHAPEL
BATHS	EMPIRE	PIAZZA NAVONA	SPANISH STEPS
CAMPO DE' FIORI	FASHION	POPE	STATUES
CATACOMBS	ITALY	RENAISSANCE	TREVI FOUNTAIN
CIRCUS MAXIMUS	PANTHEON	ROMAN FORUM	VATICAN MUSEUMS

Dangerous Marine Animals

```
H T A N L I O N F I S H T C U
Y A R C I R T C E L E S L R O
O T M I R H N S U U W I B O A
K R X M G O C Y P A O F A W H
R E Y H E G C R X S L E R N S
A P L A S R E O U Q F N R O E
H U P E R I H R D A E O A F A
S O T M C G F E F I E T C T S
R R Y G A T N N A I L S U H N
E G E D L I R I O D S E D O A
G R E A T W H I T E S H A R K
I D I O R D Y H C S G H T N E
T H S I F E L D E E N R A S R
V E N H S I F Y L L E J U R E
W T L O F O O R O E J L R S K
```

BARRACUDA   GREAT WHITE SHARK   LIONFISH   STONEFISH
CROCODILE   GROUPER   NEEDLEFISH   SURGEONFISH
CROWN-OF-THORNS   HAMMERHEAD SHARK   SEA SNAKE   TIGER SHARK
ELECTRIC EEL   HYDROID   SEA URCHIN   TRIGGERFISH
ELECTRIC RAY   JELLYFISH   STINGRAY   WOLF EEL

Tan Colors

```
R Q S S L Q M S I T E A S P I
D N S M A G S F N R C S T N S
F R O L Y N J X L R G L P Q O
X E E S A D D L E Z N O R B B
P G C K H E S A P R I C O T I
H I S R Q Q M R A R K I L A S
E E C L U W U U A U A L I W O
S B U F F S S T R R H L V N T
T I T Q T N L A D R K I E Y A
A S U Y G W C N S A P F Y H I
A C T E B O E R T S B D T X E
Q U M B E R E B M A Y T L E P
U I A L A B A R D L O G Y R P
Z T J S I I L S G A D L M W U
U B W C S T M T S X P T E V N
```

AMBER	BRONZE	ECRU	RUSTY
APRICOT	BROWN	GOLD	SADDLE
BEIGE	BUFF	KHAKI	SAND
BISCUIT	CREAM	NATURAL	TAWNY
BRASS	DRAB	OLIVE	UMBER

S Foods

```
L  R  O  I  O  D  R  W  T  P  V  G  P  X  G
Z  S  B  O  H  A  T  I  A  T  T  M  R  C  U
L  S  W  S  T  A  R  F  R  U  I  T  K  G  W
S  P  O  L  L  A  C  S  L  F  R  R  R  G  W
S  Q  U  I  D  L  T  E  G  A  S  U  A  S  E
D  T  O  X  S  Y  S  O  U  P  E  J  H  O  J
E  D  T  P  T  W  R  E  P  P  A  N  S  Y  S
E  Q  T  S  F  T  O  U  N  T  Y  W  O  B  A
S  T  R  A  W  B  E  R  R  I  E  S  I  E  S
E  D  R  L  B  S  H  F  D  D  D  E  H  A  A
M  A  R  M  L  P  U  U  E  F  H  R  W  N  R
A  L  R  O  J  A  T  G  T  K  I  E  A  S  D
S  A  J  N  S  U  L  T  A  N  A  S  R  S  R
E  S  I  N  A  R  A  T  S  R  S  H  H  T  D
S  P  I  N  A  C  H  Q  D  S  A  U  A  Z  V
```

SALAD	SESAME SEEDS	SPINACH	SUGAR
SALMON	SHARK	SQUID	SULTANAS
SARDINES	SNAPPER	STAR ANISE	SWEDE
SAUSAGE	SOUP	STAR FRUIT	SWEET POTATO
SCALLOPS	SOYBEANS	STRAWBERRIES	SWORDFISH

Seabed Animals

```
A H D N M V F L O U N D E R L
O E Z S S P I D E R C R A B T
I A E Q E L K C O C S Z S A L
N R R U Y A R R N N O E T R U
F T A A W L M H B R A U O C G
S U H T T K A O S C A J N N W
D R A L S S S H U I E P E W O
R C E O D N E C O S F T C O R
A H S B T L U L B O E R R R M
G I S S L M Y S T J H N A B P
O N T T B Y E P Y T F W B T J
N M T E S E A P E N I A T R S
E A R R P Y J Z A Q I R P G A
T M R O W K C O C A E P B V V
S A T O I R F L A T F I S H D
```

BRITTLE STAR	FLOUNDER	RAZOR SHELL	SPIDER CRAB
ROWN CRAB	HEART URCHIN	SEA CUCUMBER	SPINY SUN STAR
COCKLE	LUGWORM	SEA HARE	SQUAT LOBSTER
DRAGONET	PEACOCK WORM	SEA MOUSE	STARFISH
FLATFISH	PRAWN	SEA PEN	STONE CRAB

Horse Breeds

```
R  A  C  K  I  N  G  P  A  N  T  A  I  A  I
E  G  N  A  T  S  U  M  R  E  G  I  K  M  R
G  S  I  S  G  E  P  Z  F  Z  I  E  G  T  G
N  S  A  O  O  A  N  Y  R  P  W  B  H  E  P
A  T  T  O  R  A  A  R  I  E  O  Q  P  E  R
R  A  N  L  A  E  I  C  E  R  H  U  S  M  A
O  N  U  A  P  T  K  M  S  C  S  A  O  E  T
D  D  O  K  P  E  R  N  I  E  L  R  A  L  O
A  A  M  L  A  W  E  L  A  R  A  T  D  O  K
R  R  Y  A  L  A  Z  B  N  B  N  E  A  Y  O
O  D  K  W  O  K  A  A  C  M  O  R  G  A  N
L  B  C  C  O  J  L  R  R  S  I  P  U  D  T
O  R  O  J  S  U  B  A  O  S  T  O  U  B  M
C  E  R  B  A  T  M  U  S  T  A  N  G  G  A
S  D  S  H  G  M  V  Q  S  L  N  Y  F  T  A
```

APPALOOSA	FRIESIAN CROSS	NEZ PERCE	ROCKY MOUNTAIN
BANKER	KIGER MUSTANG	NOKOTA	STANDARDBRED
BLAZER	MORAB	QUARAB	TIGER
CERBAT MUSTANG	MORGAN	QUARTER PONY	WALKALOOSA
COLORADO RANGER	NATIONAL SHOW	RACKING	WELARA

Grass

```
W I L D R Y E N A C R A G U S
U P K S S A R G H C N U B G R
X A U N T X D E P A P Y R U S
B L U E G R A S S V L J U I Q
T O O F S T I B B A R L E Y U
S S A R G E C I R N A I D N I
E M O R B Y N W O D R C D A R
S S A R G Y R A N A C D E E R
X S Z G M S C O M M O N R Y E
S X T G R E E N F O X T A I L
C C A A I O L Q R M O O R T T
Y R E M O N J E C O A B P E A
A A H U I I L E R S C X M J I
X O W M P C T R R E J S L A L
H A I R Y C R A B G R A S S B
```

BAMBOO
BARLEY
BLUEGRASS
BUNCHGRASS
WHEAT GRASS

COMMON RYE
CORN
DOWNY BROME
GREEN FOXTAIL
HAIRY CRABGRASS

INDIAN RICEGRASS
MOOR
OATS
PAPYRUS
RABBITSFOOT

REED CANARYGRASS
SQUIRREL TAIL
SUGAR CANE
WHEAT
WILDRYE

Harry Potter

```
P  L  A  K  E  N  T  L  D  I  U  T  J  W  O
E  A  C  I  D  P  O  P  S  Z  J  R  S  Y  Q
K  G  R  Y  F  F  I  N  D  O  R  O  T  C  G
G  L  R  S  M  A  T  D  Q  Q  B  M  R  Q  R
I  I  R  D  E  M  E  N  T  O  R  E  A  I  S
W  M  U  G  G  L  E  K  A  P  M  D  W  A  U
D  O  R  G  O  B  T  H  S  I  T  L  G  T  Z
E  O  L  U  N  A  L  O  V  E  G  O  O  D  G
H  N  H  E  R  M  I  O  N  E  M  V  H  O  E
M  D  E  E  W  Y  L  L  I  G  L  O  G  Z  D
G  E  I  T  Y  T  A  D  N  T  U  L  N  I  S
U  W  X  R  G  H  O  U  L  Q  T  E  R  G  N
E  U  Y  T  G  B  V  S  D  R  R  L  P  T  T
K  E  N  A  B  A  K  Z  A  I  S  X  P  A  J
T  A  W  Y  W  J  H  H  F  T  S  J  V  L  Q
```

ACID POPS	FIRENZE	GRYFFINDOR	LUNA LOVEGOO
AZKABAN	GHOUL	HAGRID	MOONDEW
BOGROD	GIANT	HEDWIG	MUGGLE
DEMENTOR	GILLYWEED	HERMIONE	PARSELTONGU
DOBBY	GNOMES	HOGWARTS	VOLDEMORT

CON Words

```
T C O N T A C T T Y O H E A E
C C O D J T Y V P H O T T R C
Y C O N T O U R E N C L P O G
T O O N C L O S C O E F N C Z
T N A N F E G W N I N T L O U
C T E O C L A F O S E E I N C
X R C M N O I L C S V K V T O
A A O C I D C C T E A R O E N
U S N O E D O T T F R Q M X C
L T S N C O N C E N T R A T E
U P T T Y S T O M O N P P W S
S I A I P F E W C C O R O S S
J U N N C O N V I N C E Q U I
T I T U R S T I P F T D I W O
S F R E M U S N O C D Z X Z N
```

CONCEAL	CONDIMENT	CONSUMER	CONTINUE
CONCENTRATE	CONFESSION	CONTACT	CONTOUR
CONCEPT	CONFIDENT	CONTENT	CONTRAST
CONCESSION	CONFLICT	CONTEST	CONTRAVENE
CONCOCT	CONSTANT	CONTEXT	CONVINCE

Horses

```
M  D  B  U  U  P  A  I  U  P  Y  A  J  E  J
R  E  L  J  K  R  T  C  L  T  R  A  T  W  N
N  A  R  R  L  K  F  A  S  V  T  O  P  A  K
T  A  C  N  E  F  U  W  C  T  T  I  U  Q  O
Q  W  A  E  O  Z  Y  P  A  F  S  R  P  C  I
L  A  N  T  F  M  T  S  M  G  P  T  A  S  V
N  I  T  R  O  T  S  E  M  U  O  L  R  M  R
I  U  E  T  O  B  O  O  S  P  L  N  F  U  Y
A  T  R  A  H  I  K  H  P  T  L  E  K  Z  A
L  R  H  I  O  S  N  S  U  H  A  A  C  Z  V
M  R  M  L  D  E  N  A  M  U  G  B  O  L  U
T  S  Y  C  V  I  P  Z  S  A  D  D  L  E  Y
S  X  P  A  E  F  N  O  V  K  R  A  T  E  E
R  O  W  R  H  U  X  G  N  I  D  D  E  B  T
P  M  O  T  G  P  Z  Y  K  Y  T  S  F  D  S
```

BEDDING	HAY	PONY	SHOE
CANTER	HOOF	RACE	STABLE
CART	MANE	REINS	TAIL
FETLOCK	MULE	RIDING	TROT
GALLOP	MUZZLE	SADDLE	WAGON

Bedroom Bits

```
M S Y F D T S B A K X Y G A G
U H P T R A E B Y D D E T E P
N S I I E X R S O E U H I L I
P L W S S G U R O B F V S Q O
R M E W S N T K U L S H E D R
U A A O I O C C R H C T R T I
N T P L N I I O E D A E H C V
D U P L G S P L A S S G S S K
Q B O I G I F C T S K G N T M
S W S P O V K M E R O Y I E Y
V K J E W E L R Y B O X A E Y
Z I S K N L T A D D B R T H A
E A U E T E S L I P P E R S S
I E Z R I T R A D I O C U I R
S L O T D E R E T A C T C Q M
```

ALARM CLOCK	DRESSER	MIRROR	SHEETS
BED	DRESSING GOWN	PICTURES	SHELF
BOOK	DUVET	PILLOW	SLIPPERS
CLOSET	JEWELRY BOX	RADIO	TEDDY BEAR
CURTAINS	LAMP	RUG	TELEVISION

Work Patterns

```
M J C S N T G E R A H S B O J
D P P C H W C O H D A H N W V
E E I J A O T A S E S I E W O
S R H H X R M E R Z E F O I L
K E S F S K E E M T R T U J U
B T N U I E F E W P N W N S N
O N R L E X C L R O O O R R T
U E E L C P E I E B R R C T A
N M T T N E O D T X R K A S R
D D N I A R R P T N T E I R Y
G N I M L I R S R E E I A N Y
D O K E E P Y E T R R M K G
C C T N E N A M R E P M P E Z
D E A S R C E M I T T R A P W
J S E L F E M P L O Y E D S A
```

AD HOC	FIXED-TERM	INTERNSHIP	SELF-EMPLOYED
APPRENTICESHIP	FLEXTIME	JOB SHARE	SHIFTWORK
CAREER BREAK	FREELANCE	PART-TIME	TEMPORARY
CONTRACT	FULL-TIME	PERMANENT	VOLUNTARY
DESK-BOUND	HOMEWORKING	SECONDMENT	WORK EXPERIENCE

Coastal Controls

```
M  E  L  E  V  A  T  I  N  G  L  A  N  D  S
W  A  S  E  S  S  A  G  O  N  L  B  S  S  S
C  A  N  G  R  P  F  R  O  I  R  A  O  L  R
L  U  R  A  S  A  L  O  U  Z  O  N  T  L  E
I  S  E  N  G  M  O  I  O  I  M  D  O  A  T
F  E  V  I  I  E  O  N  T  L  R  O  H  W  A
F  A  E  A  F  N  D  S  C  I  A  N  P  G  W
S  L  T  R  S  I  G  R  A  B  K  M  L  N  K
E  E  M  D  L  L  A  S  E  A  C  E  A  I  A
C  V  E  H  L  E  T  N  Y  T  O  N  I  E
U  E  N  C  A  R  E  O  S  S  R  T  R  I  R
R  L  T  A  W  O  S  I  C  E  T  E  E  A  B
I  R  S  E  A  H  P  B  Q  N  N  E  A  R  D
T  R  R  B  E  S  G  A  M  U  L  O  M  T  V
Y  I  R  O  S  V  F  G  E  D  F  D  Z  S  Y
```

ABANDONMENT	DUNE STABILIZING	GROINS	SEAWALLS
AERIAL PHOTOS	ELEVATING LAND	MANAGED RETREAT	SHORELINE MAPS
EACH DRAINAGE	FLOODGATES	REVETMENTS	TRAINING WALLS
BREAKWATERS	GABIONS	ROCK ARMOR	WARNING SYSTEMS
CLIFF SECURITY	GPS	SEA LEVEL	ZONES

Out ...

A	Q	K	X	A	Y	Z	S	F	A	S	B	T	C	U
U	B	N	S	R	R	X	J	P	I	N	T	O	D	V
T	B	A	B	A	C	K	I	H	L	A	O	P	T	K
K	S	R	P	U	B	A	O	T	E	U	E	L	U	U
N	O	A	E	Q	R	U	S	X	F	F	S	A	W	H
R	C	C	L	A	S	S	Y	T	D	C	J	D	T	C
E	V	J	K	E	K	R	T	A	C	R	R	X	N	P
U	J	U	W	C	L	D	O	N	E	A	S	K	C	W
V	S	P	U	I	G	N	I	O	G	E	O	L	C	F
D	T	P	V	R	T	V	E	B	D	L	P	I	R	K
M	A	E	E	P	F	X	R	P	N	S	S	L	T	P
I	G	A	R	F	G	T	R	I	T	S	Z	L	O	H
O	C	O	M	E	N	T	C	Q	M	B	A	F	W	Z
H	H	U	I	E	N	Y	T	R	R	F	S	T	R	P
X	A	A	O	U	S	H	S	T	N	S	E	G	U	S

BACK	CAST	DOORS	PACE
BID	CLASS	GOING	PRICE
BREAK	COME	HOUSE	RANK
BURST	CRY	LAST	REACH
BUY	DONE	LIVE	WIT

Constellations

```
A U S T L I A K G X P G E H H
U O J T U N E F S S L R S L U
V D S B S D N V S A A V T M I
Q A N T O U W S K J V R O V Y
E A T R K S P N G E D E P O H
N H I G Q S O U R R A O L L E
A O D H E R C U L E S T J A A
N L R J Z E A P N T U C A N A
I U I M R R R M T I R N H S S
R A X U A I D V S C G L X C N
A O E D Q D A H U U T X U O E
C F O R N A X T R L V T A Q M
I P H O E N I X D U U R O U A
S I S O R U R S A M I N O R O
M H U L Q S E W T T U Z G C D
```

AQUILA	FORNAX	MENSA	SCUTUM
CARINA	GRUS	NORMA	TUCANA
CORVUS	HERCULES	ORION	URSA MINOR
DRACO	INDUS	PHOENIX	VELA
ERIDANUS	LUPUS	RETICULUM	VOLANS

At the Casino

```
D O R F F A F O R P N S T L E
E O F W T P E I N S T E S S S
A T D I C E G A M E S J R B I
L V I D W V G K R N K X A I M
E I E N T E R T A I N M E N T
R O B I G S I X W H E E L G O
D E R S K C A J K C A L B O P
B O L A T A N G K A S S Q V K
A R E L F S W K A M U V A T C
C P I R O U L E T T E C S A A
C O A G H R Y G N O J H A M J
A K W I U N H U D L P D R R C
R E H M G Y T G Z S P A R C S
A R M K A O K N I H C A P L C
T Y Z L P E W D B H Q A R A X
```

BACCARAT	CRAPS	HIGH ROLLER	PAI GOW
BIG SIX WHEEL	DEALER	JACKPOT	POKER
BINGO	DICE GAMES	KENO	ROULETTE
BLACKJACK	ENTERTAINMENT	MAHJONG	RUMMY
BOLA TANGKAS	FARO	PACHINKO	SLOT MACHINE

Building the Brand

```
O R S I L V E R B U L L E T H
P D N O I S I V E S R O D N E
I T E M C N O I T A T U P E R
M O P S P I L X Q N X A R M L
Q I S E I E A O I E A D S P D
U Y Y U C G I L Y O E V C O X
A F I L S N N E M A N E E L N
L A J A M S O S I E L R U E Z
I P V V E J M C D S D T M V I
T H Z N Q A I P E A B I Y E S
Y G E T A R T S N D S S A D A
S L O B M Y S T T S L I A V K
V O M A R K E T I N G N S R S
E G Y Y C O T O T R Y G S T T
C O A B P P N X Y P R R T P R
```

ADVERTISING   IDENTITY   NAME   STRATEGY

CONCEPT   LOGO   QUALITY   SYMBOL

DESIGN   LOYALTY   REPUTATION   TESTIMONIAL

DEVELOPMENT   MARKETING   SILVER BULLET   VALUES

ENDORSE   MISSION   SOCIAL MEDIA   VISION

Shades of Brown

```
D U X O R M S W A E Q A R Q O
G T G A R A R M B S S Q X F R
O I Y Z R O S U U V V N K H C
R K R N B E A N S P P O A O T
T A A S A Z P S T S D Z C T E
A H M O E G S P M B E O D L R
P K B B C H O C O L A T E C C
U L E O E R W H R C D G S H E
A T I W P R E V A E B L E E C
T E G B U R N T U M B E R S P
F Z E K A E T B R U N E T T E
L H D F T A T O G V P P S N Y
S L A O F U X F S I E S A U T
O T Y A W O O D B R O W N T U
S L Y A A R C G U C E I D B A
```

AMBER
BEAVER
BEIGE
BRUNETTE
BURNT UMBER

CHESTNUT
CHOCOLATE
COCOA
COFFEE
COPPER

DESERT SAND
HAZEL
KHAKI
MAHOGANY
PERU

RUSSET
TAN
TAUPE
TEAK
WOOD BROWN

One-Word Movies

```
N P W P L W T J A W S L Z S K
G D L G S E N W C N W T S E A
L Z E H C N K L I M E Y H V O
Q L E T I E K W O L A H A E X
U R J L N K T P L U I T O N N
F V N I D A Y O S B A G U O I
C D E Y E T W T T R O G H I K
K I M Q R T R Z H A K R L T M
T A H A E A A Q O V E Z N P K
H S C F L L O G R E A S E E U
S G T I L R Z H A H P O Z C P
K H A S A R M A G E D D O N R
P N W A T S T S C A R S R I F
I T P I L E L S I R V H F N T
W C K G L A D I A T O R Q V K
```

ARMAGEDDON	CINDERELLA	INCEPTION	THOR
AUSTRALIA	FROZEN	JAWS	TWILIGHT
AVATAR	GLADIATOR	MILK	TWINS
BRAVEHEART	GREASE	SEVEN	WANTED
CARS	HOOK	TAKEN	WATCHMEN

Run-of-the-Mill

```
I  L  H  Y  O  F  Y  N  R  S  A  Q  J  Y  D
P  A  S  S  A  B  L  E  I  O  K  A  Y  L  T
U  L  T  P  T  I  F  L  A  R  E  N  E  G  I
M  L  A  M  R  O  N  B  F  D  P  I  R  U  X
A  O  N  U  S  V  L  A  C  I  P  Y  T  I  Z
D  T  D  K  S  R  J  R  Y  N  R  A  K  Q  J
M  T  A  E  D  U  M  E  S  A  V  D  Y  Z  F
T  I  R  M  R  U  S  L  M  R  S  Y  Y  Q  T
T  K  D  E  R  A  A  O  W  Y  N  R  M  C  C
U  A  J  D  A  T  T  T  L  S  U  E  W  R  J
B  G  M  I  L  S  A  E  Q  E  S  V  R  M  E
P  U  P  O  U  I  O  M  U  I  D  E  M  T  T
H  Y  O  C  G  K  N  S  F  G  E  O  J  R  K
E  N  E  R  E  S  T  G  O  A  N  U  L  V  N
T  A  V  E  R  A  G  E  B  T  X  O  C  Q  K
```

AVERAGE	HUMDRUM	NORMAL	SO-SO
CUSTOMARY	MEDIOCRE	OKAY	STANDARD
EVERYDAY	MEDIUM	ORDINARY	TOLERABLE
FAIR	MIDDLING	PASSABLE	TYPICAL
GENERAL	MODERATE	REGULAR	USUAL

Suspicious Minds

```
U P L A C I N Y C A G E Y A D
U S C U P T I G H T R G U Z U
H N U A F K M A H E O J P N J
S E B O R H C H S O W U S E O
W M N E L E C O E T O U R V I
S O Y I L U F T S U R T S I M
Q L N S A I D U A E R E U S Q
C U D D K T E E L W I I O N I
I F I U E E R V R W E A I E X
N T R Z B R P E I C D Q T H W
T B S I Z I I T C N N T U E L
Q U E S T I O N I N G I A R U
H O A R S X C U G C U I C P S
K D F O L M K A S U A H Z P W
S U S P E C T L L S C L X A O
```

APPREHENSIVE	DOUBTFUL	QUIZZICAL	UNSURE
CAGEY	DUBIOUS	SKEPTICAL	UPTIGHT
CAREFUL	INCREDULOUS	SUSPECT	WATCHFUL
CAUTIOUS	MISTRUSTFUL	UNBELIEVING	WONDERING
CYNICAL	QUESTIONING	UNCERTAIN	WORRIED

Water ...

```
I  S  A  U  S  A  M  R  T  J  U  P  U  I  M
O  R  T  T  P  D  P  O  N  E  H  Z  Z  T  V
I  C  E  R  T  I  D  K  J  L  Y  G  M  Q  T
B  J  O  I  E  W  F  L  R  E  K  B  R  I  L
A  S  G  O  F  A  V  Q  D  A  R  P  U  S  O
W  H  E  E  L  O  G  G  E  D  M  O  O  I  U
T  T  S  L  S  E  O  Y  B  E  L  W  O  F  N
A  J  O  I  B  T  R  R  L  H  T  E  H  W  S
Q  O  R  L  R  T  U  O  P  S  K  R  O  W  T
R  X  U  Y  S  R  N  L  A  S  I  K  S  A  A
P  E  G  A  L  A  D  O  M  E  I  O  R  Y  I
J  A  C  H  R  P  H  C  S  R  T  D  Y  H  Y
S  E  P  P  P  R  N  M  T  C  O  T  E  D  Y
H  G  R  E  J  Z  I  O  Y  X  R  P  O  Q  O
E  R  L  S  O  V  B  E  O  I  A  L  B  Y  E
```

BED	FOWL	POWER	SPOUT
COLOR	LILY	PROOF	TIGHT
COOLER	LOGGED	SHED	WAY
CRESS	MARK	SIDE	WHEEL
FALL	MELON	SKIS	WORKS

Volcanic Mountains of Alaska

```
L O N I T R A M J S N W Y H N
O T R R K U P D J P P R V T A
F M E L S I L R A C O L A B S
D X D R U M E V B G R I Q Y Y
A H O U L L G I U D M E I I
R R U F B O F L A J I A A P X
X V B A F S B R G M U G K O T
R F T M T E D R O F N A S H S
R X R V R K L U R S A K N G I
E O I T E E N I D J T U O O E
T E O O B L H U O A K Y M M B
S P U R R X A S N K U F M T K
A U H L E C I L I T M X E T I
O U H I H J P Y T F A O J A A
R S R B M I T K K A K U K L I
```

ADAGDAK   EMMONS   HERBERT   OKMOK

AMUKTA   FISHER   KAGAMIL   PAVLOF

BONA   FROSTY   KUKAK   REDOUBT

CARLISLE   GILBERT   MAGEIK   SANFORD

DRUM   GORDON   MARTIN   SPURR

Spruce Up

```
A  R  G  A  E  X  B  W  N  I  F  Z  F  H  H
O  W  V  R  B  S  T  S  A  O  S  J  S  L  B
T  L  O  G  C  Y  A  L  L  G  T  C  D  B  E
V  G  B  R  E  I  J  D  A  I  Z  T  P  R  T
N  J  U  T  Q  P  H  I  D  R  Y  S  U  T  Q
Z  O  P  C  U  U  S  Y  J  O  H  F  T  B  F
Z  G  G  M  H  S  I  E  F  L  F  T  U  I  T
L  Q  S  Z  U  T  L  N  R  L  J  A  X  N  E
S  F  O  Y  T  L  O  I  E  A  U  U  A  Y  R
E  Z  I  L  M  I  P  O  C  H  P  F  H  L  J
B  C  G  P  M  I  R  P  M  K  S  E  F  G  T
Q  R  C  P  E  U  R  P  U  S  S  E  R  D  S
T  C  A  A  A  E  J  T  S  S  S  O  R  P  Q
Y  W  S  A  E  A  B  S  G  C  O  M  U  F  T
R  X  B  N  S  I  B  I  I  M  G  Q  L  S  S
```

APPLY	FOLD	PREEN	SMOOTH
BUTTON	FRESHEN	PREPARE	SPRITZ
DRESS UP	GROOM	PRIMP	TIDY
FIX UP	PLUMP	RUFFLE	TIE
FLUFF	POLISH	SLICK	TRIM

Monarchies Past and Present

```
E  R  T  K  R  W  G  O  V  R  G  W  Q  O  O
I  B  H  H  I  X  R  Q  B  C  N  A  Z  H  A
L  T  U  N  A  N  E  B  E  L  G  I  U  M  U
T  N  I  L  E  D  E  N  U  N  A  P  A  J  O
A  O  S  F  G  D  C  X  E  V  P  T  N  P  W
E  U  B  J  U  A  E  C  N  A  R  F  O  A  S
I  O  O  T  R  M  R  W  D  T  T  L  F  A  T
A  C  Z  Y  B  S  Y  I  S  E  E  A  I  B  Y
L  C  P  O  R  T  U  G  A  L  N  N  N  A  S
S  O  U  T  H  A  F  R  I  C  A  M  L  I  P
B  R  A  Z  I  L  G  N  B  M  M  N  A  B  I
G  O  Y  A  W  R  O  N  O  T  W  T  N  R  Q
T  M  Y  A  U  R  P  R  U  W  S  S  D  E  K
Y  L  A  T  I  I  A  W  A  H  R  T  N  S  R
S  L  O  L  T  U  Q  R  W  U  L  I  V  D  P
```

BELGIUM	FRANCE	JAPAN	ROMANIA
BRAZIL	GREECE	LUXEMBOURG	SERBIA
BULGARIA	HAWAII	MOROCCO	SOUTH AFRICA
DENMARK	HUNGARY	NORWAY	SPAIN
FINLAND	ITALY	PORTUGAL	SWEDEN

Make It Yourself

```
I  M  P  E  A  N  U  T  B  U  T  T  E  R  H
D  U  A  F  I  E  S  I  A  N  N  O  Y  A  M
Q  S  I  E  A  A  R  A  C  S  A  M  E  J  J
Y  T  S  A  R  T  O  O  T  H  P  A  S  T  E
I  A  M  Y  S  C  E  E  R  C  K  T  N  R  H
B  R  E  A  D  T  G  L  O  I  R  O  O  M  R
T  D  J  Q  P  F  E  N  D  F  M  K  T  T  Q
V  Y  J  X  K  N  D  A  I  N  T  E  U  S  T
S  O  R  I  R  I  O  S  K  V  A  T  O  H  A
A  G  X  M  M  A  J  O  T  S  A  C  R  A  C
C  U  P  E  S  T  O  A  P  W  A  H  C  O  I
S  R  N  C  I  T  G  S  P  M  N  U  S  M  T
E  T  I  I  H  I  O  T  N  I  A  P  C  S  U
S  G  G  P  L  A  Y  D  O  U  G  H  T  E  B
G  Z  A  S  P  R  V  K  Y  V  O  S  S  A  P
```

BREAD	MASCARA	PESTO	SPICE MIX
CANDLE	MAYONNAISE	PLAYDOUGH	STEAK SAUCE
CONDIMENTS	MUSTARD	SHAMPOO	TOMATO KETCHUP
CROUTONS	PAINT	SHAVING CREAM	TOOTHPASTE
JAM	PEANUT BUTTER	SOAP	YOGURT

Vincent van Gogh

```
S I B L O S S O M S F Y P P Q
F T S R E W O L F N U S A S C
M S I N O I S S E R P M I U Y
A T R A R T D E A L E R N M P
S A S E R E H T T A A K T S R
T R Y G T T E E R P P K E I E
E R L D S A R L R F Z F R N S
R Y O I P D E O M T A D W R S
P N H R L S R O P C H R U E E
I I C B W H E A T F I E L D S
E G N W P W S H H A L T O O I
C H A A T S G R H C T E T M R
E T L R P I H C N B R O S U I
A N E D N I U G U A G O P U I
H Y M E R T S W B E D R O O M
```

ARLES	CYPRESSES	MELANCHOLY	POTATO EATERS
ART DEALER	DRAW BRIDGE	MODERNISM	SELF PORTRAITS
BEDROOM	GAUGUIN	NIGHT CAFE	ST. REMY
BLOSSOMS	IMPRESSIONISM	ORCHARDS	STARRY NIGHT
ROTHER THEO	IRISES	PAINTER	SUNFLOWERS
CHAIR	MASTERPIECE	PARIS	WHEAT FIELDS

Halley-Type Comets

```
T O T F A R I W L E U U K G Z
T U U G V B R E S S I L I Z F
P H O L V O R C E M E B I Q M
D M T R I H S A Y A B O K E G
T C H E T C I I D S W M L H J
Y N G R T A D Y R F I L L I H
K S U U O T I V K O I Y C O P
O R A N C A N E J S B E T N A
W N N T S L G L H Y V R L P W
A H C H R I S T E N S E N D W
L I M K Q N P K I L S J N S A
S H E P P A R D T H O L E N W
K O S M C M I L L A N P P T F
I L E M M O N E S L J A P H F
T J T E N A G R A E A L H A M
```

BORISOV	GIBBS	LEMMON	NEVSKY
BRADFIELD	HILL	LEVY	SCOTTI
BRESSI	HOLVORCEM	MCMILLAN	SHEPPARD-THOLEN
CATALINA	KOBAYASHI	MCNAUGHT	SIDING SPRING
CHRISTENSEN	KOWALSKI	MELLISH	TENAGRA

In Good Humor

```
N K Z Y H Y A V C L S C G J S
T P O D Z G J Z T P A S I U Q
Q M S A C R A S I J Q U G G M
S O Q U A H R G S I T U G T Q
P C R D N L I K L O A S L H E
T T W I P U N C H L I N E E Y
W I I E R E N I L E N O R A V
J S T N R O U T I N E S B A P
V P S C T W I S E C R A C K T
F A A E T E B P D M Y R U M Z
G K T R F Y R A M S A F L S W
T M I M O N O L O G U E B J F
K S R R O D A S U P P T O A A
P Q E W P R Y M S D K K P R R
R F A J S Q K L I M E R I C K
```

AUDIENCE	JOKE	PARODY	SITCOM
GAG	LAUGH	PUNCHLINE	SLAPSTICK
GIGGLE	LIMERICK	ROUTINE	SPOOF
INTERLUDE	MONOLOGUE	SARCASM	WISECRACK
JEST	ONE-LINER	SATIRE	WIT

Electricity

```
M F A V C I R C U I T X V I T
W A L S M H O U E L U O J O D
Z R T U O U T G R I D B H C O
P O E E U S A C N M U E M H Y
J T R G T A L D J L P S S A W
L C N A L I U N B W S U J R O
A U A T E C S U S V G F A G O
N D T T T L N D T E R R A E X
I N I A L A I T N E T O P G P
M O N W M R V E Q P C T P A K
R C G S E P R U T Y I S H T A
E R Q C M A E K I L T I T L W
T I T X T N A R O O A S E O R
L R P O C U R R E N T E A V S
O I R Y J E L V S S S R Q B E
```

ALTERNATING
AMPERES
BULB
CHARGE
CIRCUIT
CONDUCTOR

CURRENT
DIRECT
FREQUENCY
FUSE BOX
GENERATOR
GRID

INDUCTANCE
INSULATOR
JOULE
OHM'S LAW
OUTLET
POTENTIAL

PYLON
RESISTOR
STATIC
TERMINAL
VOLTAGE
WATTAGE

Shabby Chic

```
K Q M K P A A A S E N F N F Z
N A I M E H O B R U A R R J T
B T E L K T L T I D I A O Y N
D I S T R E S S E D E X S W I
F L O R A L X D R T S E E S H
O L X C P B T L D Q Z U S Y C
D D H E G A T N I V N N W H O
Z E R T Y T A T X A J P A O V
D T A F U R N I S H I N G S X
W N I W A O K S M S D M U R A
T I R E I F U U R E L A X E D
I A W T U M R D L E T S A P A
Q P R A I O U I A Z R G R W T
B T N N O C E U Q I T N A Y Q
N I G T I R E D Y I T I R J D
```

ANTIQUE

COMFORTABLE

OLD

TIRED

BLEACHED

DISTRESSED

PAINTED

UNASSUMING

BOHEMIAN

FADED

PASTEL

VINTAGE

CHANDELIER

FLORAL

RELAXED

WEAR AND TEAR

CHINTZ

FURNISHINGS

ROSES

WORN

Sewing Stitches

```
S  S  X  C  T  H  U  B  S  O  V  K  A  J  X
I  R  U  S  L  N  C  U  U  U  L  T  T  Q  T
O  Y  C  R  R  F  E  T  S  S  P  C  E  C  R
L  T  P  D  I  G  L  T  I  N  A  T  R  W  S
T  T  E  P  Y  I  R  O  K  T  R  O  G  A  T
X  B  U  R  N  A  S  N  C  Z  S  U  P  S  O
T  R  C  E  I  J  R  H  A  S  I  M  G  V  P
K  E  J  G  N  B  K  O  B  V  W  G  E  R  E
M  I  H  P  R  S  O  L  E  Y  A  R  Z  H  D
R  T  E  G  M  I  A  E  L  S  C  U  C  A  I
C  D  O  S  P  N  N  C  H  A  I  N  R  R  G
Q  P  I  C  K  P  I  L  S  T  S  N  P  H  B
R  A  E  E  U  F  E  T  O  I  I  I  T  G  C
E  D  T  C  E  R  B  L  I  N  D  N  S  H  Y
V  B  A  Z  T  A  K  Q  G  L  S  G  B  F  W
```

BACK	CHAIN	OVERCAST	SLIP
BLANKET	CROSS	PAD	STRAIGHT
BLIND	DARNING	PICK	TENT
BUTTONHOLE	HEMSTITCH	RUNNING	TOP
CATCH	OUTLINE	SATIN	ZIGZAG

Potatoes

```
A P E T I T E S H R S B L S C
R P U R P L E M A J E S T Y I
Q T B R R A O I G J R S I U T
A T E O P S A T I N A N T K N
A D O S A L D E R G N O C O A
L A D E S T E E Y O G W H N L
L K J F S U M P V P E D I G T
B O Y I U Y R A E E R E E O A
L T S N P D T C S R R N F L N
U A R N E O T G I E U P T D O
E R Y A R P S P C S S V A T R
A O F P I E I L N M S J I O L
R S O P O H Y A D S E A N A A
I E X L R S A B R P T T L I N
P I K E A U E T I H W L A C D
```

ALL BLUE · DAKOTA ROSE · PURPLE MAJESTY · SATINA
ATLANTIC · INNOVATOR · PURPLE PERUVIAN · SHEPODY
CAL WHITE · NORLAND · RANGER RUSSET · SNOWDEN
CHIEFTAIN · PETITES · RED LA SODA · SUPERIOR
CLASSIC RUSSET · PIKE · ROSE FINN APPLE · YUKON GOLD

Words Ending with TAIL

L	A	M	X	Y	U	C	Y	U	R	F	D	Z	V	L
P	E	W	U	E	U	O	G	J	T	L	T	H	R	N
D	N	N	U	R	Q	X	C	H	G	Y	A	Y	R	S
T	B	F	T	W	X	T	W	O	N	E	L	U	P	O
L	N	A	I	A	A	A	E	R	C	L	I	O	I	R
D	I	R	N	S	I	I	S	S	B	K	A	L	N	E
L	W	A	A	G	H	L	T	E	K	H	T	I	T	T
L	O	H	T	T	T	T	W	T	J	B	E	A	A	A
S	I	P	I	E	T	A	A	A	P	O	V	T	I	I
S	B	A	B	P	D	A	I	I	G	B	O	N	L	L
W	H	I	T	E	T	A	I	L	L	T	D	A	W	J
Y	R	P	I	G	T	A	I	L	F	A	A	F	C	W
R	S	A	E	E	N	E	I	U	J	I	T	I	Z	T
H	I	G	H	T	A	I	L	L	J	L	A	F	L	N
P	P	A	M	U	R	D	R	C	A	N	O	I	G	R

BANGTAIL	DOVETAIL	HORSETAIL	RETAIL
BOBTAIL	ENTAIL	OXTAIL	RINGTAIL
COCKTAIL	FANTAIL	PIGTAIL	WAGTAIL
CURTAIL	FISHTAIL	PINTAIL	WHIPTAIL
DETAIL	HIGHTAIL	RATTAIL	WHITETAIL

Murder Mystery

```
H  S  A  P  H  N  V  Y  I  Y  T  Q  O  S  T
H  A  I  O  E  V  I  T  O  M  T  R  W  Y  I
B  F  D  E  T  E  C  T  I  V  E  C  P  I  F
I  O  I  E  X  T  T  K  U  T  A  L  L  S  I
L  R  D  N  T  A  I  T  O  V  C  U  I  P  E
H  E  R  Y  G  G  M  N  O  P  A  E  W  P  O
E  N  E  C  S  E  M  I  R  C  L  S  P  H  S
E  S  L  L  L  E  R  R  N  A  N  O  L  C  P
A  I  U  E  A  V  S  P  T  A  S  L  T  U  N
R  C  J  S  A  I  O  T  R  S  T  C  U  E  V
B  S  H  X  P  D  W  O  I  I  I  I  D  F  L
S  Q  H  P  Z  E  S  O  A  B  N  M  O  I  R
T  P  U  B  T  N  C  F  L  I  U  T  O  N  C
L  G  C  R  A  C  V  T  U  L  G  O  L  K  S
E  T  I  M  A  E  C  S  S  A  K  I  B  E  A
```

ALIBI	DETECTIVE	FORENSICS	PLOT
BLOOD	EVIDENCE	GUN	SUSPECTS
BODY	EXAMINATION	KNIFE	TRIAL
CLUES	FINGERPRINT	LEADS	VICTIM
CRIME SCENE	FOOTPRINT	MOTIVE	WEAPON

In the Air

```
U  N  D  W  R  E  E  Y  T  R  P  P  T  Z  W
F  G  U  I  I  Y  E  K  C  D  T  E  S  T  L
A  W  S  O  O  N  L  T  J  F  R  X  T  X  U
T  O  T  T  X  O  D  N  Q  N  R  P  E  E  V
W  R  E  T  Y  O  M  P  L  G  A  B  G  H  T
D  E  A  H  G  L  I  S  E  R  S  U  H  V  U
S  T  M  I  E  L  F  O  A  M  A  S  S  L  P
N  S  E  F  N  A  V  O  T  A  S  P  K  R  I
L  I  A  N  U  B  Q  C  H  U  O  H  I  I  A
A  M  O  R  A  M  O  T  H  A  E  F  S  E  K
D  R  I  Z  Z  L  E  W  M  Z  Z  A  E  B  A
O  T  U  D  O  S  P  S  M  O  K  E  O  P  E
P  C  E  G  R  A  D  R  O  N  E  T  F  O  R
X  I  N  T  U  I  A  C  I  T  R  I  K  V  L
S  E  L  B  B  U  B  J  R  A  E  K  R  G  X
```

AIRPLANE	COLOGNE	FUMES	OXYGEN
AROMA	DRIZZLE	HAZE	RAINBOW
BALLOON	DRONE	KITE	SMOKE
BIRD	DUST	MIST	STEAM
BUBBLES	FLY	MOTH	WIND

French Cheeses

```
R A L S O P N J K J V T J X I
R O O C A M E M B E R T A U N
R E T S N U M N O L S H G A O
I B I S F A I S S E L L E E H
R U X B I E L O I U G A L M C
X Z M V R A T B S S H S L E O
Y A N I T O R V E H C J A D L
Y S U B W I M F L G O T R E B
L U T O M M E D E S A V O I E
B L I V A R O T L G R M V R R
Y A E C N A D N O B A I O B T
T T N A C L A T N E M M E R D
V N I O B O U R S I N I O R F
R A C O N T R O F E U Q O R P
Q C S U O C E B A C P M A B F
```

ABONDANCE   CABÉCOU   FAISSELLE   MORBIER
BANON   CAMEMBERT   FROMAGE BLANC   MUNSTER
BOURSIN   CANTAL   FROMAGE FRAIS   REBLOCHON
BRIE DE MEAUX   CHEVROTIN   LAGUIOLE   ROQUEFORT
BROCCIU   EMMENTAL   LIVAROT   TOMME DE SAVOIE

After ...

```
U X M K P T E V B A E V Z B I
I N K T W S F A I M A H I M C
T H Y H H O I F K S S Q W O D
T U O O D M L Z Q U M S Z C R
C Z C U A Z E G E K W L I U W
Q K P G R J P Y S G H U R E O
U U E H K S A I H I I Q J K P
R E A T T I E I I K K C S T V
V U S T X A T T Q D S R C H U
O E R A C L M G S R U E E G I
B U R N O E C Z H A L L S L U
D H Y P O S F L A W T T T T K
P T O I E O U F V T B F A W Y
A Q K P D I N N E R Z H Y S J
S S A R V Y T X K D I C A D V
```

ALL	EFFECT	MATH	SUN
BURN	GLOW	MOST	TASTE
CARE	HOURS	NOON	TAX
DARK	IMAGE	SHAVE	THOUGHT
DINNER	LIFE	SHOCK	WARD

Sea Words

```
L H A R Z E I A E A N B L G D
L B U F Z L U M Z E P F U W S
R M S T S Q C P K I F B U U L
H Q F X D K W L Y T Y K S Z E
M Q A I S I N P F N L U A D J
E R L A D P L G S A P D O H D
R Z Z E R R E U F T I U N V I
O D N U O S I L R Y P P O H C
C E E D J O G F O S T L A S F
K E N B F B I T T O E Q A I S
S W O L L E N R H C O V E F L
L A N I G R A M Y G T S A Q O
R E X S T I D E A F I O Z W T
V S O S T A O B A Y M B S S Y
N Z K L E I F O C R Y S A R A
```

BAY	DRIFT	MARGINAL	STRAIT
BIGHT	FISH	ROCKS	SWOLLEN
BOATS	FJORD	SALT	TIDE
CHOPPY	FROTHY	SEAWEED	WAVES
COVE	GULF	SOUND	WIDE

Paths

```
Y A E S F G T W A W L R Y Z U
S P U S T Y U S S T F A P D L
L S A R E R A U P O F I D N I
H Y B J O S E F R B U I U A L
B E A E D A N E M O R P I S I
R U N W A Y D P T U T E V T P
S N R E H T X R O L A I V X X
F E W L X G S R I E L O E P D
E V G A A F I H I V L Y L U U
Z A T A L N D H O A E U S Y O
R E H R S K E P Z R Y W I A U
H E U T A S W O R D T I A W L
J O X R A I A A A M T C M Y I
A S L P E Q L P Y A S C U B N
T L I R C T K T P I R O U T E
```

AISLE	BYWAY	PASSAGE	SHORTCUT
ALLEY	DRIVEWAY	PROMENADE	SIDEWALK
AVENUE	HIGHWAY	ROAD	STREET
BEAT	LANE	ROUTE	TRAIL
BOULEVARD	LINE	RUNWAY	WALKWAY

Headaches and Remedies

```
O V J C R F K O L A T N E D N
I L C T E L R A S N Z P X A U
U P L L S M V S T O T T P P A
W C U I T E H Y G Q W R F G A
L I S O N G N I B B O R H T D
J N T D I Z M L R X A R T N A
W O E O M V P E E N L I A S U
E R R O R H I N K C T T P R N
S H P W E T M I G R A I N E O
K C S L P G N E F O R P U B I
A N I A P C J F P I P O L O S
D R N D E C R F N M L E B U N
F Z U N P J W A T E R Y L N E
U B S A O G X C D U R S L D T
A E L S S A R G N O M E L E R
```

ASPIRIN	DENTAL	MIGRAINE	SANDALWOOD OIL
AURA	FRANKINCENSE	NAPROXEN	SINUS
CAFFEINE	IBUPROFEN	PEPPERMINT	TENSION
CHRONIC	LAVENDER	REBOUND	THROBBING
CLUSTER	LEMONGRASS	REST	WATER

Tension

```
N F S M N O I T A D I P E R T
E O T T S E T A T W S J L S O
V R I A R L R S S E N T U A T
N C F S A A U V T P A N I C E
H E F T N D I R O R O X O Y N
S T N Q X E Z N A U E N E T S
A U E H I R H P R E S S U R E
P E S Q E A Y E D T S N S X N
U F S A T C V T R A C A E R E
S L R N Y S R I I P E T E S S
H W L I T G C P U D P R O N S
T S Z V G T J T L A I A D E U
R R A E I H R R S T M G M H A
U Z C O N S T E R N A T I O N
Q O N R A F O P T E R R O R G
```

ANXIETY	FORCE	RIGIDITY	TAUTNESS
APPREHENSION	FRIGHT	SCARED	TENSENESS
CONSTERNATION	NERVOUSNESS	STIFFNESS	TERROR
CONSTRICTION	PANIC	STRAIN	TREPIDATION
DREAD	PRESSURE	STRESS	UNEASE

Church Roles

```
C O Z I N T C I Y R S S S B S
A R E T S I N I M O N K O U I
R G U A R D I A N T M M L T T
D A P O H S I B I S A P X K M
I N T O G P W S A A K L E L W
N I E R P A Y L L P Y P O N C
A S U R R E E U P A T R T I X
L T O D E A V E A J S I K V S
S S E R D V Y I H M L E S E L
H N N E A E E I C A M S O T U
P U R G E L A R T A U T A O W
R N U R R D S C W A R B V A I
P T M E A E S D O S S G B X T
S F L V U R T P R N Q Y O X T
V L C T P O I B R Y R N Q I Q
```

BAPTIST	ELDER	NUN	READER
BISHOP	GUARDIAN	ORGANIST	REVEREND
CARDINAL	LEADER	PASTOR	VERGER
CHAPLAIN	MINISTER	POPE	VICAR
DEACON	MONK	PRIEST	WARDEN

Hearing

```
O R W T Y E R C R H P L T Y H
G O D J D G E I I F R R T D M
I P I N N A T B W M S R S N L
T T S T S L U V Q K I N N E R
R F U R O I O L V U C D L E E
E K T E C T T S T T K D D E D
V C I A V R K X S R Z Y R L R
B O N Y L A B Y R I N T H U E
O A N A P C U R D C C R V C M
L L I X L S Y D K L R L C C M
I C T O I A M K I E K T E A T
S N B S X L B T K T S C G S M
R E A R L A E L H C O C N O L
G I T F A T W H O L L R U I C
J U V E K T S N V E P V Y F R
```

AUDITORY	COCHLEA	LOBE	SACCULE
BALANCE	DRUM	MIDDLE	TINNITUS
BONY LABYRINTH	EAR	OSSICLES	UTRICLE
CANAL	HELIX	OUTER	VERTIGO
CARTILAGE	INNER	PINNA	WAX

Glassware

```
K U E S P G F T P I K I U O A
E U S T E I N G S S M Z F X E
G T R T P L W E T U W E X O B
A E U E S S A L G Y R R E H S
A L R M K S P U N C H B O W L
F B E H B A W I N E G L A S S
T O N E E L E M N V Z W E R P
P G O L A G E B D T J O D Y V
P K O T A Y G R P M G B E U E
F B H T S E A L E C I L A H C
Q E C O C K T A I L G L A S S
X G S B N S Y A R D G L A S S
Y I A A P I T C H E R T Y U S
P O T S V H B Q P S S L P X R
C J O N U W J W A T W L L Z K
```

BEAKER	GOBLET	PUNCH BOWL	TUMBLER
BOTTLE	MUG	SCHOONER	VASE
CHALICE	PINT GLASS	SHERRY GLASS	WHISKEY GLASS
COCKTAIL GLASS	PITCHER	STEIN	WINE GLASS
FLUTE	POT	TANKARD	YARD GLASS

Writing Tools

```
B R S L P A I N T B R U S H S
I M O U Q L A O C R A H C I B
R E I A E F M L A N P A V G T
O X L C R O A S L N S S R H E
L O P R A U R V L E Q U I L L
L E E A S N K L I P I V I I T
E I N Y E T E T G L A J S G W
R S C O R A R A R A Q S T H Z
B A I N P I P R A T P R T T Q
A D L I E N E P P I T T L E F
L A I A N P N N H G N A S R L
L S S P Q E D Z Y I N K P E N
T L L I P N L A P D D A W T I
C O L O R E D P E N C I L Y E
X G E L P E N A N L U B D A U
```

BIRO	DIGITAL PEN	GEL PEN	OIL PENCIL
CALLIGRAPHY PEN	DIP PEN	HIGHLIGHTER	PAINTBRUSH
CHARCOAL	ERASER PEN	INK PEN	PASTEL
COLORED PENCIL	FELT TIP PEN	LEAD PENCIL	QUILL
CRAYON	FOUNTAIN PEN	MARKER PEN	ROLLERBALL

Teeth

```
T Q L E M A N E C S M E Q O S
R Q F U F R K E G D I R B A O
P W I S D O M M U G L B X B H
O R N S D E O A U Q K Z A I R
G P E I N I T N E D A B R A T
T O O T H B U D N H J L L E R
G R U R R F S I S R R X P C M
K M L F C L L B G A A J F P D
Y J L F T E M U I C L A C P S
C N Y Z A S L L O S O Q B S B
I A W E N I N A C R M T R L R
P R F O S P Z R I A I Q A N K
Q A P M R O S I C N I D C D A
W L I U U C J A W B O N E S G
U A W L U I L P R L S I S K U
```

BRACES	CROWN	INCISOR	PLAQUE
BRIDGE	DENTIN	JAWBONE	PORCELAIN
CALCIUM	ENAMEL	MANDIBULAR	TISSUE
CANINE	FLUORIDE	MILK	TOOTH BUD
CEMENTUM	GUM	MOLAR	WISDOM

Abundance

```
B C F U C T S B R M Q G S R E
M C S P T U E X C E S S H T C
X T T D F I J U V X H E K L P
A L U X U R I A N T B H U R E
H E M F G M Y R I A D C E C O
S L B R R I W L J A I W C U
U U H N E U G N I V I R H T B
V F T S G N I W O L F R E V O
A I L I I Q S T G M G N U T U
P T A M V Z T U F H A T P U N
E N E G E N E R O U S P T R T
K E W E L P M A O I L I R B I
T L A R E B I L B J P Q V S F
A P U A R O H T E L P O S A U
P I I B P R O F U S E F C L L
```

AMPLE   FRUITFUL   MYRIAD   RICHES
BOUNTIFUL   GENEROUS   OVERFLOWING   SIZEABLE
BULK   LAVISH   PLENTIFUL   TEEMING WITH
COPIOUS   LIBERAL   PLETHORA   THRIVING
EXCESS   LUXURIANT   PROFUSE   WEALTH

In Church

```
A D E R P U N Q V C U X U A V
O E I N B U D H T O Y O M J W
L J O R U X R A X L C R O S S
J I A A P O W S E H T C M I O
C F R X U E Q K O O B N M Y H
C N O U L B P I A L E T J D G
A H R O P O R T L Y N L Z T M
N A A E I S S V X W C I S R K
D P W N T O W E R A H A O I S
L I R A C C K A W T E S F T A
E L L S T E E P L E S Y A Q K
S L E V A N L L A R L I S A P
S A L T A R O A A I A B K I S
O R G A N T A F R P E P I G S
A S F I H N M E R S S U W B M
```

AISLE	CHANCEL	HYMN BOOK	PILLARS
ALTAR	CHOIR STALLS	LECTERN	PULPIT
BENCHES	CROSS	NAVE	SPIRE
BIBLE	FONT	ORGAN	STEEPLE
CANDLES	HOLY WATER	PEW	TOWER

Underground

```
Q I I R S W Y B E R A H B M J
Z O P V T W U N V D L F E T K
I R T Y O O J P A L L R X J R
P T Z T O R R A C A O S C G X
E A E C R R E U B I Y O Y C U
Q W T A R U W S O J A C I P E
H W E F E B E S F L W Y N G L
A I F I V Q S B M G B T E M H
A C Z T L O U O T P U M R O W
E U U R I G L X U O S D R T Z
A U B A S E M E N T L U A V L
U G R G S E B M O A V E W O A
O V L S O K P N I T S M M K B
U C X W F L E I J O E P L W Q
I O N S A S D S P S I B U P I
```

ARTIFACT	CAVE	MOLE	SILVER
BASEMENT	COAL	PIPES	SUBWAY
BUGS	FOSSIL	POTATO	VAULT
BURROW	GEMSTONE	ROOTS	WARREN
CARROT	GOLD	SEWER	WORM

Round and Round

```
Y R U M A S U K F D S S C A G
R H J T D H F A R E D N I R G
M A U R B N N O O D K C A S I
F I I O K B I Y T R A Y S F Y
V L L E D A A A O J C T A V
L L A L O D A N R O T L E T V
F G T E S I L L Y T P O R W W
E T U R M T O E L O L N O E W
T E W Q A A O E I W Y E I A T
J N H W S A P N N L K O D C M
T A E E T I L L E T A S R O A
V L E S U O R A C M K U O M M
I P L O R M I T E A A N C E V
N I O V V W H I S K I W E T R
L L A K T M W E M I R Z R J W
```

ASTEROID	FAN BELT	PLANET	TORNADO
CAROUSEL	GRINDER	RECORD	WHEEL
COMET	MILL STONE	ROLLER	WHIRLPOOL
CYCLONE	MODEL TRAIN	ROTARY LINE	WHISK
DRILL	MOON	SATELLITE	YO-YO

Animals with Double Letters

```
C T F T D N L F I X C T I H N
R I A E B Z O J Q A R S T R R
Q B U L L F R O G H R A D W Z
S B E L L E B D C N N L G Q A
J A A A S I L S E C P L I V C
S R J M L P G E U E A I R S A
H R I A O A I A T O R R A P R
U V Y L F R E T T U B O F N P
R K A N G A R O O O T G F Z O
X K P M Z K S Q U I R R E L Q
T P E P E E L L E Z A G T P T
K F E R R E T T O S N M Q K E
N J N E T T I K G D O X R S L
A P Z I H Z X Y A E L O Q S H
E P Y Q O S C A D Z P I M G J
```

ALLIGATOR   FERRET   KITTEN   PARROT
BULLFROG   GAZELLE   LLAMA   RABBIT
BUTTERFLY   GIRAFFE   MOOSE   RACCOON
DEER   GORILLA   OTTER   SHEEP
EEL   KANGAROO   PARAKEET   SQUIRREL

Potter's Wheel

```
H A S L K A L A X L C E S S L
H K F T Q D M A O N Q A S U Y
B I I L S U A D S I R W U J W
R A R L G K Y N P J O L I R A
H M Y R N G R I D I S H U H T
K O A E I N E A A I T P S M X
C L A Y H I K L J A O A C K L
Q D B O S T C E B P N T V A Q
I H T S I N O C O O E I G E G
I N E R N I R R T T W V H L Y
A T E R R A C O T T A L A C V
F R D C U P J P A E R Z A S L
R R C N B C I M A R E C H S E
A I U E R J A A S Y R R R I U
P G U N K P R L E Y I O N B N
```

BOWL	CROCKERY	KILN	PORCELAIN
BURNISHING	CUP	KNEAD	POTTERY
CERAMIC	DISH	MOLD	STONEWARE
CHINA	GLAZE	MUG	TERRACOTTA
CLAY	JAR	PAINTING	VASE

U.S. Water Parks

```
T  S  T  S  E  M  U  L  F  M  O  O  Z  T  R
B  L  U  E  B  A  Y  O  U  V  I  P  S  S  D
D  L  I  W  N  T  E  W  I  P  T  E  S  A  N
V  A  L  W  I  L  D  I  S  L  A  N  D  X  A
R  F  U  N  F  I  E  L  D  S  K  V  S  E  L
S  R  A  G  I  N  G  W  A  T  E  R  S  T  S
O  E  U  H  C  A  E  B  A  N  A  I  D  N  I
A  S  L  L  A  F  L  A  T  S  Y  R  C  O  H
K  Y  F  B  I  G  S  U  R  F  Q  O  O  O  S
C  E  A  C  L  K  R  A  S  H  A  O  N  H  A
I  G  W  A  T  E  R  W  O  R  L  D  J  P  L
T  B  O  U  L  D  E  R  B  E  A  C  H  Y  P
Y  F  M  A  G  I  C  W  A  T  E  R  S  T  S
D  S  N  B  R  E  T  A  W  E  T  I  H  W  M
J  D  L  R  O  W  R  A  G  U  S  E  I  S  L
```

ADVENTURELAND	FUNFIELDS	RAGING WATERS	WATER WORLD
BIG SURF	GEYSER FALLS	SOAK CITY	WET'N'WILD
BLUE BAYOU	INDIANA BEACH	SPLASH ISLAND	WHITE WATER
BOULDER BEACH	MAGIC WATERS	SUGARWORLD	WILD ISLAND
CRYSTAL FALLS	NOAH'S ARK	TYPHOON TEXAS	ZOOM FLUME

Animal Idioms

```
S D N U O R A E S R O H N T A
Y N O P K C I R T E N O V M D
I A J M A K E A B E E L I N E
T N H G E F A T C A T D C C V
P E T O U S L S E G D Y A H O
I S E H R T M O G J A O T I L
G U C D E S O E W I S U B C Y
H O A A C D E Y L E X R U K P
E M R O O G O T G L N H R E P
A D T R P A I G R X A O G N U
D N A S H A B U H A L R L O P
E A R L Y B I R D O D S A U D
D T U O G I P X R O U E R T W
Y A W A L E R R I U Q S D L K
M C S E A G E R B E A V E R O
```

CAT AND MOUSE	FAT CAT	LONE WOLF	PUPPY LOVE
CAT BURGLAR	HOLD YOUR HORSES	MAKE A BEELINE	RAT RACE
CHICKEN OUT	HORSE AROUND	ONE-TRICK PONY	ROAD HOG
EAGER BEAVER	HORSE TRADE	PIG OUT	SMELL A RAT
EARLY BIRD	IN THE DOGHOUSE	PIGHEADED	SQUIRREL AWAY

Tree Puzzle

```
P  S  N  N  U  F  A  P  U  O  A  F  G  U  D
L  Q  N  U  H  B  D  D  T  Q  A  Q  L  O  O
A  P  L  B  A  K  N  U  R  T  I  U  R  F  A
E  T  L  F  A  A  D  Q  L  I  T  T  L  L  C
T  L  T  S  C  R  O  W  N  E  G  Y  X  O  E
T  B  P  E  O  O  K  D  K  S  A  P  I  W  R
J  R  L  N  A  O  Z  G  B  S  E  V  O  E  B
I  X  O  O  O  U  V  U  W  U  L  O  E  R  A
N  T  T  C  S  P  D  A  G  M  D  A  A  S  R
Z  M  I  J  T  S  E  L  D  E  E  N  T  C  E
E  B  D  S  S  U  O  U  D  I  C  E  D  A  K
X  A  S  G  T  B  V  M  T  H  M  Q  K  H  A
V  V  V  I  U  O  U  E  E  P  I  E  C  I  S
R  P  A  W  B  R  O  S  N  R  O  C  A  P  A
P  E  H  T  E  V  E  R  G  R  E  E  N  R  W
```

ACORNS	CONES	FRUIT	SAP
BARK	CROWN	LEAVES	STEM
BLOSSOM	DECIDUOUS	NEEDLES	TRUNK
BRANCHES	EVERGREEN	OXYGEN	TWIGS
BUDS	FLOWERS	ROOTS	WOOD

Helicopters

```
L K R A L I P H E B S E M E U
V A D A F C M S X T I W F C B
B M E R L S H L I A N W O X P
E O N P E R N I I K R V T R O
L V E G T U A I N V O L I Y Q
L W L I T N A Y R O T R R T E
K A M A N B K H Z S O O S J T
Y S M H E G H P M N R K S K U
T E X R R N W A F U W Q A Y Y
V H U A A E Y N R I A C T I P
J Q K V O T L D M B Y B S T R
P U R I R A S L O D I O P T J
Z U T A E A I U I R I N R T R
R D W N A M O D G H Y D T L A
M R Y B H T U C H A N G H E L
```

AERO	BOEING	FLETTNER	KAMOV
AGUSTA	CHANGHE	GYRODYNE	MIL MI
AVIAN	CHINOOK	HARBIN	PITCAIRN
BAUMHAUER	DENEL	HILLER	ROTORWAY
BELL	DOMAN	KAMAN	SIKORSKY

Engagement Ring

```
S C L A S S I C F O I D Y P Q
Q N R E D O M M T U E L S S X
S R U B Y X L I H A L O A I C
G D L O G E T I H W P G P X E
S L C V P A L R T L V E P B G
I A R A N R A L A A D S H T A
U R O I R X O T O D I O I G J
T E U W L A I N I W E R R T R
B M N V I N T A G E G M E Y I
X E D Z U V M K I S R O A W B
S T S M F O V A L D S L L R S
E P P G N I T T E S V R R D K
I V L D R H L S X V T I S F U
U A B S R R K L S Q R U R H T
S J E F R S L A L U Z Z Y Q L
```

F Words

```
U D E N J F I L E V L T S U D
X F H N G A I S M Q A U S A O
L R T L F N S Q H S A L F T L
B I I N J C I Y P T L D I B A
Z L F O O Y E G G A F S T E O
L L L I P F U N G U S R N A S
P S E A O L O S T A F I E K L
T A A R B B F G L S L P S S S
A A C P D T I I P T I F S Q H
U E E T A C O M N Y N D R Z T
R A P R S S O O I A G X F O X
P L P C Q A R U F I L L I N G
T B F G L F L A P Z U I L F S
G F S O W M D A R T I S Z I X
R J O E V S F I E A I R H E A
```

FANCY	FITNESS	FLUTE	FOX
FAT	FIX	FOG	FRESH
FILE	FLAGGING	FONT	FRILLS
FILLING	FLASH	FOOTBALL	FRONTLINE
FINALIZE	FLING	FORCE	FUNGUS

Stages of Life

```
A L K S T I H J L A S N S C F
G T R S R M R S R C O A P S M
P P N T N E R A P B T L U D A
A X N E Z I T I C R O I N E S
L O Z E C G N S D H E X W G C
V E S B Q S P F G C Y V O A X
T M T T R R E R A N H Z R E A
L P U O I U A L P N U I G L R
N L D M T D W R O P T O L D M
U O E O U Y L R E D L E Y D B
B Y N A D H N M K H A I B I U
P E T O D D L E R U T A M M C
T E E N A G E R U H B U T W M
A Y R E N H Q D T Y X C O J S
E X L G H H P L R X D S U Y R
```

ADOLESCENT	EMPLOYEE	MIDDLE-AGED	TEENAGER
ADULT	GRADUATE	PARENT	TODDLER
BABY	GROWN-UP	PRIME	TOT
CHILD	INFANT	SENIOR CITIZEN	YOUNGSTER
ELDERLY	MATURE	STUDENT	YOUTH

Walk About

```
E C H J H V O A Q R T T Y E B
R L T R A I P S E Z Z S O A C
M T V B H U L R I R O T U T U
D O L P E A N L A E A R Y T J
R Y A B O A N T W M M O H C R
U C M N W W C D P A B L S L E
E R N A X I E H W S L L X T J
R V T I A L Z R W A E K I R X
J E T R U D G E W A L C I N T
Y F S T F I R E W A L K I N G
J Y T S P E E D W A L K I N G
W T R E K K I N G J A K I N B
U T I D S N O W S H O E I N G
I I D E L J A P P H I K I N G
R O E P R A C E W A L K I N G
```

AMBLE	HILL WALKING	POWER WALKING	STRIDE
BEACH WALKING	JAUNT	RACE WALKING	STROLL
FIRE WALKING	PACE	RAMBLING	TRAIPSE
HAND WALKING	PEDESTRIAN	SNOW SHOEING	TREKKING
HIKING	PLOD	SPEED WALKING	TRUDGE

Windows

```
V S U A F O B Z E R U T C I P
F M S G N I N W A O S T A O T
F L K T F G Q Y C O A T R Y O
Q T Y O L H L R S F S T P B I
X M L C A C U O I J H I Y F K
O D I W N N N T L O V D K R F
T Q G S O E X S L O C E M S I
P T H S G R G E T S A T R S X
M L T A A F B R Y H S S I Z E
T U L A X R A E E I E O U U D
I A D I E G Y L Y M M R P R E
E Y T B H V U C L E E F M S Z
A A E R L U F J P F N L B A A
X S R R Y S G L A L T S E R L
X U E V G H O Q A M A T R R G
```

AWNING	EMERGENCY	GLAZED	ROOF
BAY	EYEBROW	HEXAGONAL	SASH
BI-FOLD	FIXED	PICTURE	SILL
CASEMENT	FRENCH	PIVOT	SKYLIGHT
CLERESTORY	FROSTED	PORTHOLE	THERMAL

Grinding Mills

```
L  P  R  O  T  B  X  J  O  W  A  G  O  A  R
O  Y  E  L  W  C  T  V  Z  B  L  T  L  I  Q
P  Y  F  R  B  R  R  U  E  T  Z  S  U  Q  P
B  B  H  E  O  A  O  E  R  J  D  F  O  B  Y
R  H  A  M  M  E  R  V  Q  S  M  G  R  C  R
H  D  O  X  U  C  I  T  H  W  O  U  O  L  M
M  P  M  R  Z  P  D  I  S  K  F  F  D  O  E
N  R  L  T  S  D  P  C  R  A  F  I  R  A  K
V  E  T  Q  T  E  M  O  L  E  R  T  E  J  S
N  H  N  P  P  L  A  N  E  T  A  R  Y  R  J
E  Z  Y  I  T  S  T  I  R  R  E  D  A  O  O
I  X  U  E  H  I  S  C  B  E  B  L  C  L  R
D  A  I  R  L  I  C  A  U  A  D  R  L  L  L
E  U  S  U  D  I  O  L  L  O  C  G  P  E  S
M  H  X  G  F  E  W  L  X  W  A  T  E  R  P
```

ARRASTRA	CONICAL	JET	SHIP
BALL	DISK	MORTAR	STAMP
BEAD	EDGE	PELLET	STIRRED
COFFEE	HAMMER	PLANETARY	WATER
COLLOID	HORSE	ROLLER	WILEY

Foul Play

```
R  D  P  R  M  U  A  V  C  G  V  T  B  D  Q
L  L  X  S  R  O  Q  E  T  R  S  B  P  R  C
K  C  M  C  H  D  X  S  X  W  P  T  E  T  G
X  L  D  O  Q  O  G  P  I  P  M  H  L  K  D
C  H  E  A  T  U  R  N  V  W  L  O  V  C  A
M  I  F  M  L  B  D  T  I  F  F  O  P  I  R
C  B  R  L  F  L  E  E  C  E  V  D  I  R  S
T  O  A  O  E  E  R  L  T  H  L  W  P  T  C
A  U  U  M  G  C  E  L  I  D  A  I  I  S  A
F  R  D  Z  B  R  K  G  M  E  Y  N  Y  O  M
R  T  T  N  T  O  O  K  I  C  G  K  G  Z  W
C  I  Y  P  J  S  O  N  Z  E  O  A  Y  E  P
W  E  H  R  K  S  N  Z  E  I  P  N  X  A  K
L  K  G  J  R  M  S  M  L  V  J  U  Q  A  V
P  Z  R  P  U  A  T  S  H  E  L  D  D  I  D
```

BAMBOOZLE	DIDDLE	GULL	SNOOKER
CHEAT	DOUBLE-CROSS	HOODWINK	STING
CON	DUPE	RIP OFF	SWINDLE
DECEIVE	EXPLOIT	SCAM	TRICK
DEFRAUD	FLEECE	SHORT-CHANGE	VICTIMIZE

Pale

```
K L T A Y U L Z C W O D L M I
P I T X K U E T I H W W L B N
P Q B P W A S X M L L H R S P
C A D R C C B A E T O A O B K
E T V Y V O U L N T L U L B S
L R H E F L W W A N D O A K G
U A L G A O O A R N O G R N S
W C U X I R L S P D C E T L B
A G I A N L L H L Z Q H C L W
E I P Q T E A E S E Q P E F B
N E X A W S S D F I T A P D G
B E U A L S K O A N C S S R R
W A H X G L C U D H O T A Q R
I T P S Z O I T E T Y Y A P N
T A Z O A K S D D T T E C S R
```

ANEMIC	COLORLESS	PALLID	SPECTRAL
ASHEN	FADED	PASTEL	WAN
BLANCHED	FAINT	PASTY	WASHED-OUT
BLEACHED	GRAY	SALLOW	WAXEN
BLOODLESS	LIGHT	SICK	WHITE

First Foods for Babies

```
L  T  S  P  I  N  A  C  H  E  E  S  E  E  Y
A  R  W  A  Y  A  P  A  P  P  L  E  J  R  Q
B  F  E  I  R  S  V  J  P  N  E  R  O  O  Y
F  U  E  B  R  O  C  C  O  L  I  A  C  T  R
L  S  T  E  E  O  G  C  N  W  L  A  R  M  T
I  T  P  U  B  L  U  E  B  E  R  R  Y  T  N
H  Y  O  S  W  D  T  O  N  Q  K  P  S  E  U
W  R  T  R  A  K  E  T  Y  I  O  C  I  J  P
T  C  A  L  R  V  I  C  F  A  G  S  I  E  E
X  G  T  K  T  L  O  A  N  A  N  A  B  H  A
P  J  O  S  S  Q  R  C  D  I  A  L  D  N  C
U  O  T  O  C  I  R  P  A  V  M  M  E  Y  H
O  Q  A  R  C  O  L  U  M  D  S  O  O  U  L
B  Z  O  E  K  U  T  T  A  C  O  N  R  I  T
N  F  V  R  M  N  Z  H  F  E  X  S  I  E  E
```

APPLE	BROCCOLI	MINCED BEEF	RICE
APRICOT	CHEESE	PAPAYA	SALMON
AVOCADO	CHICKEN	PEACH	SPINACH
BANANA	LENTILS	PEAR	STRAWBERRY
BLUEBERRY	MANGO	PLUM	SWEET POTATO

Creatures in and Around Water

```
I  T  I  W  A  H  J  A  A  E  S  P  V  Z  G
Y  G  I  H  L  H  J  V  H  N  U  Y  S  E  S
I  R  B  A  R  C  N  A  W  S  M  B  D  T  A
L  R  R  N  O  E  S  A  I  D  A  E  S  L  X
X  G  O  O  E  L  O  V  R  E  T  A  W  R  I
T  R  T  Y  S  I  L  A  F  I  O  V  I  Z  R
U  X  A  C  T  D  G  C  A  R  P  E  R  Y  Y
U  W  G  D  A  O  T  N  T  U  O  R  T  W  Y
E  A  I  M  N  C  G  C  G  U  P  Y  O  C  A
B  E  L  F  U  O  A  N  U  V  P  I  P  T  A
B  S  L  S  A  R  U  T  I  V  I  A  K  W  Y
E  Y  A  D  A  C  E  H  F  M  H  V  C  E  B
J  Q  T  A  V  V  U  C  R  I  A  O  U  N  V
G  P  Y  D  R  P  A  S  S  P  S  L  D  L  C
A  R  T  Q  K  O  A  R  L  T  P  H  F  L  M
```

ALLIGATOR	COYPU	EEL	PIRANHA
BEAVER	CRAB	FLAMINGO	SWAN
CARP	CROCODILE	HIPPOPOTAMUS	TOAD
CATFISH	DRAGONFLY	NEWT	TROUT
COOT	DUCK	PIKE	WATER VOLE

With Buttons

R	D	L	S	P	T	P	N	T	A	I	L	P	F	A
U	O	V	E	N	C	U	S	R	Y	X	A	L	U	T
X	O	B	E	K	U	J	T	I	N	N	T	U	I	T
F	R	S	S	K	E	P	F	H	T	O	D	H	X	F
R	B	P	E	K	C	I	T	S	Y	O	J	R	A	C
C	E	L	L	P	H	O	N	E	A	R	E	M	A	C
O	L	Q	E	D	R	P	L	B	S	E	F	L	R	F
M	L	Y	V	J	K	F	U	C	O	N	C	P	C	O
P	E	V	A	W	O	R	C	I	M	U	P	T	A	O
U	V	X	T	C	H	I	W	Y	L	R	V	R	D	D
T	B	L	O	U	S	E	D	A	L	M	A	A	E	M
E	E	A	R	I	E	C	T	A	B	P	O	L	G	I
R	T	E	I	U	N	O	I	D	R	O	C	C	A	X
W	P	Q	U	W	R	Z	O	U	V	S	L	R	M	E
M	B	L	O	R	T	N	O	C	E	T	O	M	E	R

ACCORDION	CAMERA	ELEVATOR	OVEN
ALARM CLOCK	CELL PHONE	FOOD MIXER	PANTS
ARCADE GAME	COAT	JOYSTICK	RADIO
BLOUSE	COMPUTER	JUKEBOX	REMOTE CONTROL
CALCULATOR	DOORBELL	MICROWAVE	SHIRT

Just Awful

```
D R E A D F U L A M S Y B A L
E E R J G H A S T L Y A T T B
H P H I D E O U S Y V S O U T
A E D E P L O R A B L E G G Z
O L V T F J E Z R Q W T N A H
D L X I Y L T S A E B S I K E
P E D I S G U S T I N G K W I
I N Y A U N F F K U B D C A N
L T M H O I E E T R A O O U O
J L P R I L O F M H D D H U U
C A L M X L G G F I G T S L S
M G G P O A A T R O C I O U S
V C P A N P I E T O R U R E M
F R T S B P W D G T S C T F A
B X E R O A G N B Y U S Q S Z
```

ABYSMAL	DEPLORABLE	GHASTLY	LOUSY
APPALLING	DIRE	GROSS	OBNOXIOUS
ATROCIOUS	DISGUSTING	HEINOUS	OFFENSIVE
BAD	DREADFUL	HIDEOUS	REPELLENT
BEASTLY	FRIGHTFUL	HORRENDOUS	SHOCKING

END at the End

```
P  Q  G  E  D  I  T  N  A  O  O  S  N  I  C
S  C  G  L  N  N  W  I  P  T  T  A  T  M  W
I  A  Y  O  M  I  E  J  T  C  L  J  T  E  A
P  J  S  U  D  T  E  M  C  U  R  S  A  V  S
I  E  H  C  N  S  K  T  A  O  T  Y  P  F  P
S  O  S  J  E  D  E  D  M  I  M  E  P  K  E
I  B  F  N  T  N  N  N  P  L  S  M  R  N  N
C  A  I  A  N  E  D  E  D  E  X  T  E  N  D
F  Z  I  U  O  I  N  I  B  S  K  B  H  N  F
K  A  M  T  C  D  T  R  A  N  S  C  E  N  D
R  N  T  P  E  I  X  F  T  A  P  T  N  E  U
V  T  P  T  T  F  P  Y  F  I  E  N  D  U  T
T  X  D  N  E  K  O  O  B  Q  Y  L  M  S  A
X  O  F  F  E  N  D  B  L  E  N  D  W  S  S
Z  D  E  F  E  N  D  E  P  E  N  D  O  W  P
```

AMEND	BLEND	DEFEND	OFFEND
APPREHEND	BOOKEND	DEPEND	SPEND
ASCEND	BOYFRIEND	EXTEND	STIPEND
ATTEND	COMMEND	FIEND	TRANSCEND
BEND	CONTEND	GODSEND	WEEKEND

Motivate

```
X D I L E U T F Q K F S V P L
L L L A S R Z K N O P Q S Z A
E R E S P P F R Z S T U E R I
N U R N U E P A A A U J N C N
H G Q C L Z R P H W G U C D V
S J S I E I O S S E C U D N I
I A X I P G V R U C K E S S G
N R P S O R O E P A S C E R O
C A U O R E K A N U D N D S R
I D L R P N E O D S V E K R A
T R I G G E R Y K E O U S T T
E I O Y A W S T I M U L A T E
U V S U E E T T H O F R S R
P E I L S T S E U A T N F K C
R Y D P E E R I P S N I R O L
```

CAUSE   INCITE   PERSUADE   ROUSE
DRIVE   INDUCE   PIQUE   SPARK
ENERGIZE   INFLUENCE   PROPEL   STIMULATE
ENLIVEN   INSPIRE   PROVOKE   SWAY
GOAD   INVIGORATE   PUSH   TRIGGER

Male Titles ...

```
R  W  U  R  U  U  E  F  E  B  A  Z  P  T  N
N  L  I  P  A  P  T  M  R  C  K  B  G  K  S
R  W  L  M  I  X  C  U  P  I  O  R  E  O  T
S  C  E  E  T  Y  S  U  N  E  A  U  C  Y  R
I  J  Y  E  U  K  L  G  D  N  R  R  N  N  J
U  D  B  M  S  F  L  Q  D  B  C  O  I  T  R
B  L  R  J  Y  Q  T  D  K  R  H  E  R  I  S
X  A  R  D  V  O  U  V  M  O  D  P  P  E  S
M  R  R  A  R  K  R  I  A  T  U  R  S  O  W
V  R  L  O  E  O  U  C  R  H  K  I  I  A  P
F  O  R  U  N  C  L  E  Q  E  E  E  J  R  H
K  S  M  A  S  T  E  R  U  R  H  S  T  Y  L
T  M  L  A  U  O  A  O  I  I  M  T  T  S  R
D  I  Q  S  S  T  M  Y  S  X  K  N  A  S  T
N  B  K  A  N  R  R  W  R  R  O  T  B  F  A
```

ARCHDUKE	EMPEROR	KING	PRIEST
BARON	ESQUIRE	LORD	PRINCE
BROTHER	FATHER	MARQUIS	SIR
COUNT	FRIAR	MASTER	UNCLE
EARL	GRAND DUKE	POPE	VICEROY

... Female Titles

```
H X R D B C V H C G L Z R S I
D A M E B V R M A D A M I E D
A A U O T I I R M A O U N S T
B X E N T S Z M S F V M R N B
B M R S T H I B N Z I G S X S
E B A R O N E S S L C U L Z T
S S E R P M E R A N E E U Q L
S S E H C U D D N A R G A K B
S O J S K H Y L O I E D P P J
C Z C Z A R I N A Z I O B R S
B S S E T N U O C O N T Y K Y
I R I I J P R I N C E S S I M
I A R C H D U C H E S S A A X
L N T U P L S R D T S U G M O
B L L E J I H P Y A J S S O R
```

ABBESS	CZARINA	MADAM	MRS
ARCHDUCHESS	DAME	MARCHIONESS	PRINCESS
AUNT	EMPRESS	MISS	QUEEN
BARONESS	GRAND DUCHESS	MISTRESS	SISTER
COUNTESS	LADY	MOTHER	VICEREINE

Jewelry Makers

```
L T S S X R V E M P F M O E T
Y P S M D S I S T P T R Y W A
N C U F I R S E I T S I R H C
A A U F B K A R L R H T E U O
F R M A X O I P Q H A A V S R
F T P R T R U M O E N N A L I
I I N G U B R C O H E I S M T
T E T P S Y B U H T C C E M B
S R E E B E D E P E O O M F U
I A N O T S N I W Y R R A H L
L M E I W S A H V D M O J M G
A L L A N G A R A A I R N I A
E I M S E T P L R R D V Q C R
W S T T A B U C C E L L A T I
E K U G R E B Z L E H Z R D A
```

ANGARA	CHOPARD	GRAFF	PIAGET
BOUCHERON	CHRISTIE'S	HARRY WINSTON	RITANI
BUCCELLATI	DAVID WEBB	HELZBERG	SHANE CO.
BULGARI	DAVID YURMAN	JAMES AVERY	TACORI
CARTIER	DE BEERS	MIKIMOTO	TIFFANY

Currencies

```
A R E C F Q S Q G Y G S C M R
P L T D A O R G D O L L A R P
S A R A A Q T C N I E N O R K
O B E A P M U K U I A Z C I Z
R S D P N E S A O T L X E N A
W H A T B U P E P R R L D O F
C G U V L E K E H S U J I R I
S P S V A S X P S E B N M H Y
Q C U O U Y O U I O L R A L S
K O Z L C Q C R T U E I D J O
L X U U V J G F I D O I R R Z
F B D T P Y E V R N N S A A B
A U B C C P L U B A E W M P P
S C O J A K O M R R N E Y Q S
F R O S U S P A N O W C M P L
```

BRITISH POUND	EURO	LIRA	RUPEE
CEDI	FRANC	MANAT	SHEKEL
DINAR	KORUNA	PESO	SHILLING
DOLLAR	KRONE	RAND	WON
DRAM	KUNA	RUBLE	YEN

Begins with Z

```
E  A  R  T  A  R  W  O  Y  G  O  L  O  O  Z
P  O  W  A  I  A  I  O  P  S  P  R  T  I  U
X  T  L  U  N  F  D  A  R  T  D  I  L  S  R
X  H  W  I  I  O  B  R  M  W  X  R  I  I  G
F  R  P  N  L  L  Z  B  O  K  C  M  T  A  R
K  L  A  M  S  Z  L  E  M  O  L  G  Z  H  I
O  G  Z  S  N  U  Z  Z  N  Z  R  T  E  Z  Z
N  Z  N  Z  I  C  O  O  E  I  Y  D  S  I  Z
Z  O  D  I  A  C  O  L  R  P  T  A  T  A  S
C  M  O  R  Z  H  M  F  A  P  H  H  N  I  U
X  B  Z  C  U  I  T  D  A  E  E  Y  N  Z  Q
D  I  I  O  U  N  G  E  E  R  Z  Y  R  R  I
Z  E  F  N  R  I  M  Z  C  N  I  Z  P  R  R
S  D  G  Y  L  E  Z  E  A  L  O  T  U  N  Q
V  X  I  B  W  T  Z  N  B  G  D  Z  F  B  O
```

ZANY	ZEPHYR	ZING	ZOMBIE
ZEALOT	ZERO	ZIPPER	ZONE
ZEALOUS	ZEST	ZIRCON	ZOOLOGY
ZEBRA	ZIGZAG	ZITHER	ZOOM
ZENITH	ZINC	ZODIAC	ZUCCHINI

Answer Pages

FOR REFERENCE | PAGE 3

```
T R B H T B T L F N P P X A F
T D S U O C I V R O V K M L A
E O S T L D R O W Y E K Y A A
L T U M Y L R S G T Y E T Q P
F Y N X H L E E G R R L E F S
A K O D P F P T U E A E D O U
E N I Z A G A M I S N P V O R
L D T A R I P A D N O R H D U
I D I L G I S G E Z I P E Y A
R G D M O N W T B H T S L C S
O S E A I D E P O L C Y C N E
C P B N L E N W O L I F T A H
M Q J A B X S W K I D K L O T
H A O C I N T E R N E T U L E
E U C A B J T A G Z H C B F S
```

WORMS | PAGE 4

```
P H Q H R T T T K T U X V T K
I A I C O D E S S B T T Q S N
L H J N U L O V I I S E L X C
R R G I N A U J L S X Q P S O
O U T M D C E K I E R N U O L
E R A Z A E E L T P V O B G P
C I P R E F T T T F B B E U X
U A E K R A L N L S A B B G L
Z H N F H O X A E D I I R A S
L E E K T Z W K T M I R O R R
A S I K E N P N R U G B B P H
R R O O T R K R E D N E O U C
H O R S E S H O E F X A S U P
H H A P Z L T C H T R A E G S
S R U F T R W A J F L R M P S
```

SIZZLING SAUSAGES | PAGE 5

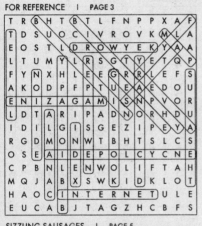

```
D A A P O E K O M S F L A H Y
W E N H S R E H C T U B W L Z
B Q T D O W A M G O H O Y P O
N R N R O T I A E N B L Y V Z
L P E L N U L N R N A O C W T
T L I A L I I I O E T G X N T
A I B T K O D L N R T N J O L
A T A A T A F R U L K E A A N
T T T E J L A E O E R P Z A L
E K S T Y Q I S G B V P W B Y
O C H I P O L A T A D A R E I
G O D T O H T B N B S R G L P
S C H A U D I N F U P U A X X
E R N L R E T R U F K N A R F
B I R J G P N A I S K E I S O
```

CITYSCAPE | PAGE 6

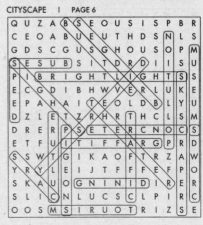

```
Q U Z A B S E O U S I S P B R
C E O A B U E U T H D S N L S
G D S C G U S G H O U S O P M
S E S U B S I T D R D I I S U
P I B R I G H T L I G H T S S
E C G D I B H W V E R L U K E
E P A H A I T E O L D B L Y U
D Z L E T Z R H R T H C L S M
D R E R P S E T E R C N O C S
E T F U I T I F F A R G P R D
S S W T G I K A O F T R Z A W
Y R Y L E I J T F F F E P P O
S K A U O G N I N I D I R E
S L I C N L U C S C L P I R C
O O S M S I R U O T R I Z S E
```

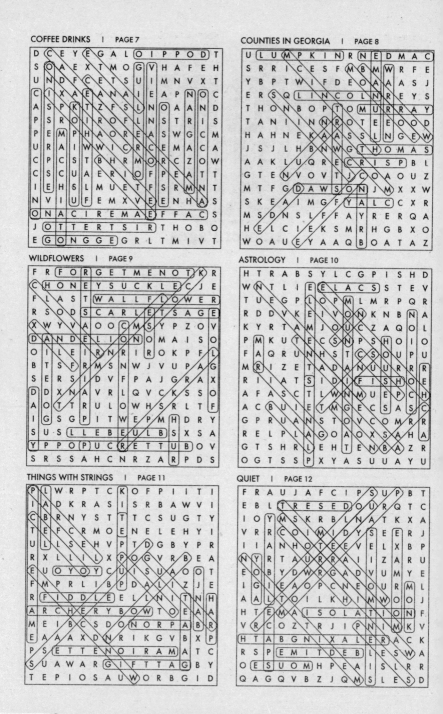

COFFEE DRINKS | PAGE 7

COUNTIES IN GEORGIA | PAGE 8

WILDFLOWERS | PAGE 9

ASTROLOGY | PAGE 10

THINGS WITH STRINGS | PAGE 11

QUIET | PAGE 12

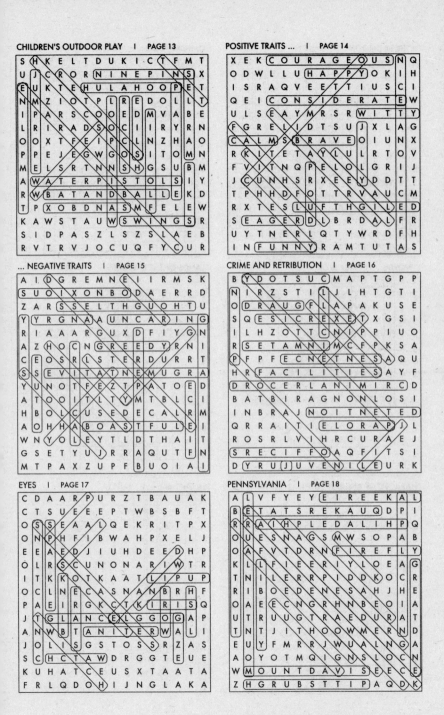

CHILDREN'S OUTDOOR PLAY | PAGE 13

S	H	K	E	L	T	D	U	K	I	C	T	F	M	T
U	J	C	R	O	R	N	I	N	E	P	I	N	S	X
E	U	K	T	E	H	U	L	A	H	O	O	P	E	T
N	M	Z	I	O	T	P	L	R	E	D	O	L	L	T
I	P	A	R	S	C	O	O	E	D	M	V	A	B	E
L	R	I	R	A	D	S	O	C	I	I	R	Y	R	A
O	O	X	T	F	E	I	P	C	L	N	Z	H	A	O
P	E	P	E	J	E	G	W	G	O	S	I	T	O	M
M	A	E	L	S	R	T	N	N	S	H	G	S	U	B
A	R	W	A	T	E	R	P	I	S	T	O	L	S	I
R	T	W	B	A	T	A	N	D	B	A	L	L	E	K
T	P	X	O	B	D	N	A	S	M	F	E	L	E	W
K	A	W	S	T	A	U	W	S	W	I	N	G	S	B
S	I	D	P	A	S	Z	L	S	Z	S	L	A	E	B
R	V	T	R	V	J	O	C	U	Q	F	Y	C	U	R

POSITIVE TRAITS ... | PAGE 14

X	E	K	C	O	U	R	A	G	E	O	U	S	N	Q
O	D	W	L	L	U	H	A	P	P	Y	O	K	I	H
I	S	R	A	Q	V	E	E	T	T	I	U	S	C	I
Q	E	I	C	O	N	S	I	D	E	R	A	T	E	W
U	L	S	E	A	Y	M	R	S	R	W	I	T	T	Y
F	G	R	E	L	I	D	T	S	U	J	X	L	A	G
C	A	L	M	S	B	R	A	V	E	O	I	U	N	X
R	K	I	T	E	T	A	Y	L	U	L	R	T	O	V
F	V	I	T	N	Q	P	E	L	O	L	G	R	I	J
J	C	U	N	H	S	R	X	E	E	Y	D	D	T	T
T	P	H	H	D	F	O	T	T	R	V	A	U	C	M
R	X	T	E	S	L	U	F	T	H	G	I	L	E	D
S	E	A	G	E	R	D	L	B	R	D	A	L	F	R
U	Y	T	N	E	R	L	Q	T	Y	W	R	D	F	H
I	N	F	U	N	N	Y	R	A	M	T	U	T	A	S

... NEGATIVE TRAITS | PAGE 15

A	I	D	G	R	E	M	N	E	I	I	R	M	S	K
S	U	O	I	X	O	N	B	O	D	A	E	R	R	D
Z	A	R	S	S	E	L	T	H	G	U	O	H	T	U
Y	Y	R	G	N	A	A	U	N	C	A	R	I	N	G
R	I	A	A	A	R	G	U	X	D	F	I	Y	G	N
A	Z	H	O	C	N	G	R	E	E	D	Y	R	N	I
C	E	O	S	R	L	S	T	E	R	D	U	R	R	T
S	S	E	V	I	T	A	T	N	E	M	U	G	R	A
Y	U	N	O	T	F	E	Z	T	P	A	T	O	E	D
A	T	O	O	I	T	L	T	Y	M	T	B	L	C	I
H	B	O	L	C	U	S	E	D	E	C	A	L	R	M
A	O	H	H	A	B	O	A	S	T	F	U	L	E	I
W	N	Y	O	L	E	Y	T	L	D	T	H	A	I	T
G	S	E	T	Y	U	J	R	R	A	Q	U	T	F	N
M	T	P	A	X	Z	U	P	F	B	U	O	I	A	I

CRIME AND RETRIBUTION | PAGE 16

B	Y	D	O	T	S	U	C	M	A	P	T	G	P	P
N	I	R	Z	S	T	I	L	J	L	H	T	G	T	I
O	D	R	A	U	G	F	L	A	P	A	K	U	S	E
S	Q	E	S	I	C	R	E	X	E	T	X	G	S	I
I	L	H	Z	O	T	T	C	N	I	P	P	I	U	O
R	S	E	T	A	M	N	I	M	C	X	F	K	S	A
P	F	P	F	E	C	N	E	T	N	E	S	A	Q	U
H	R	F	A	C	I	L	I	T	I	E	S	A	Y	F
D	R	O	C	E	R	L	A	N	I	M	I	R	C	D
B	A	T	B	I	R	A	G	N	O	N	L	O	S	I
I	N	B	R	A	J	N	O	I	T	N	E	T	E	D
Q	R	R	A	I	T	I	E	L	O	R	A	P	J	L
R	O	S	R	L	V	I	H	R	C	U	R	A	E	J
S	R	E	C	I	F	F	O	A	Q	F	I	T	S	I
D	Y	R	U	J	U	V	E	N	I	L	E	U	R	K

EYES | PAGE 17

C	D	A	A	R	P	U	R	Z	T	B	A	U	A	K
C	T	S	U	E	E	P	T	W	B	S	B	F	T	
O	S	S	E	A	A	L	Q	E	K	R	I	T	P	X
O	N	P	H	F	I	B	W	A	H	P	X	E	L	J
E	E	A	E	D	J	I	U	H	D	E	E	D	H	P
O	L	R	S	C	U	N	O	N	A	R	I	W	T	R
I	T	K	K	O	T	K	A	A	T	L	I	P	U	P
O	C	L	N	E	C	A	S	N	A	N	B	R	H	F
P	A	E	I	R	G	K	C	T	K	I	R	I	S	Q
J	A	T	G	L	A	N	C	E	L	G	G	O	G	A
A	N	W	B	T	A	N	I	T	E	R	W	A	L	I
J	O	L	I	S	G	S	T	O	S	S	R	Z	A	S
S	C	H	C	T	A	W	D	R	G	G	T	E	U	E
K	U	H	A	T	C	E	U	S	X	T	A	A	T	A
F	R	L	Q	D	O	H	I	J	N	G	L	A	K	A

PENNSYLVANIA | PAGE 18

A	L	V	F	Y	E	Y	E	I	R	E	E	K	A	L
B	E	T	A	T	S	R	E	K	A	U	Q	D	P	I
R	R	A	I	H	P	L	E	D	A	L	I	H	P	Q
O	U	E	S	N	A	G	S	M	W	S	O	P	A	B
O	A	F	V	T	D	R	N	F	I	R	E	F	L	Y
K	L	L	F	I	E	E	R	I	Y	L	O	E	A	G
T	N	I	L	E	R	R	P	I	D	D	K	O	C	R
R	I	B	O	E	D	E	N	E	S	A	H	J	H	E
O	A	E	C	N	G	R	H	N	B	E	O	I	A	A
U	T	R	U	U	G	T	R	A	E	D	U	R	A	T
T	N	T	J	I	T	H	O	O	W	M	E	R	N	D
E	U	Y	F	M	R	R	J	W	U	A	L	N	G	A
A	O	Y	O	T	M	Q	I	G	N	S	L	O	C	N
W	M	O	U	N	T	D	A	V	I	S	E	E	C	E
Z	H	G	R	U	B	S	T	T	I	P	A	Q	D	K

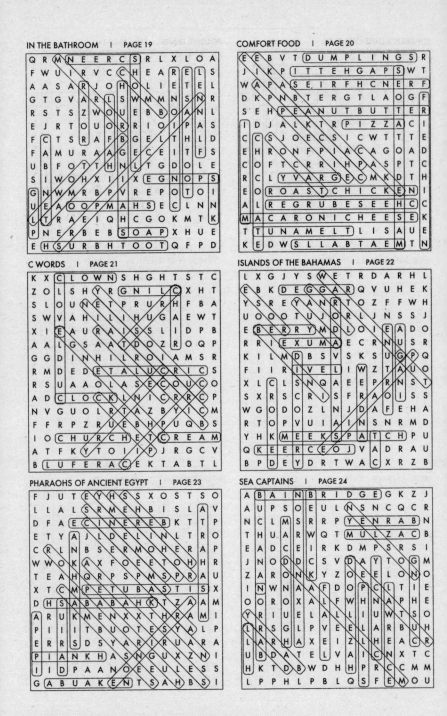

IN THE BATHROOM | PAGE 19

```
Q R M N E E R C S R L X L O A
F W U I R V C C H E A R E L S
A A S A R J O H O L I E T E L
G T G V A R L S W M M N S N R
R S T S Z W O U E B B O A N L
E J R T O U O R R I O I P A S
F C T S R A F B G E L T H L D
F A M U R A A G E C E I T F S
U B F O T T H N L T G D O L E
S I W O H X I I X E G N O P S
G N W M R B P V R E P O T O I
U E A O O P M A H S E C L N N
L T R A E I Q H C G O K M T K
P N E R B E B S O A P X H U E
E H S U R B H T O O T Q F P D
```

COMFORT FOOD | PAGE 20

```
E E B V T D U M P L I N G S R
J I K P I T T E H G A P S W T
W A P A S E I R F H C N E R F
D K P N B T E R G T L A O G F
S E H P E A N U T B U T T E R
I D J A L K T R P I Z Z A C I
C C S J O E C S I C W T T T E
E H R O N F P I A C A G O A T
C O F T C R R I H P A S P T C
R C L Y V A R G E C M K D T H
E O R O A S T C H I C K E N I
A L R E G R U B E S E E H C C
M A C A R O N I C H E E S E K
T T U N A M E L T L I S A U E
K E D W S L L A B T A E M T N
```

C WORDS | PAGE 21

```
K X C L O W N S H G H T S T C
Z O L S H Y R G N I L C X H T
S L O U N E T P R U R H F B A
S W V A H I L I H U G A E W T
X I E A U R A I S S L I D P B
A A L G S A A T D O Z R O Q P
G G D I N H I L R O I A M S R
R M D E D E T A L U C R I C S
R S U A A O L A S E C O U C O
A D C L O C K L N L C R R C P
N V G U O L R T A Z B Y I C M
F F R P Z R U E B H P U Q B S
I O C H U R C H E T C R E A M
A T F K Y T O I P J R G C V
B L U F E R A C E K T A B T L
```

ISLANDS OF THE BAHAMAS | PAGE 22

```
L X G J Y S W E T R D A R H L
E B K D E G G A R Q V U H E K
Y S R E Y A N R T O Z F F W H
U O O O T U J O R L J N S S J
E B E R R Y M D L O I E A D O
R R I E X U M A E C R N U S R
K I L M D B S V S U G P Q
F I R I V E L I W Z T A U O
X L C L S N Q A E E P R N S T
S X R S C R I S I S F R A O I
W G O D O Z L N I D A F E H A
R T O P V U I A I N S N R M D
Y H K M E E K S P A T C H P U
Q K E E R C E O J V A D R A U
B P D E Y D R T W A C X R Z B
```

PHARAOHS OF ANCIENT EGYPT | PAGE 23

```
F J U T E Y H S S X O S T S O
L L A L S R M E H B I S L A V
D F A E C I N E R E B K T T P
E T Y A J L D E L I N L T R O
C R L N B S E R M O H E R A P
W W O K A X F O E E T O H H I
T E A H Q R P S P M S P R A U
X T C M P E T U B A S T I S X
D H S A B A B A H K T Z A A M
A R U K M E N X X X T H R A M
P I I I T B U O T E S Y A L P
E R R S D S Y A R I R U A R A
P I A N K H A S N G U X Z N I
I I D P A A N O E E U L E S S
G A B U A K E N T S A H B S I
```

SEA CAPTAINS | PAGE 24

```
A B A I N B R I D G E G K Z J
A U P S O E U L N S N C Q C R
N C L M S R R P Y E N R A B N
T H U A R W Q T M U L Z A C E
E A D C E I R K D M P S R S I
J N O D C S V D A Y T O G M
Z A R O N K Y Z O E E L O N O
I N W N A A F D O P C L T I E
O O A R O X A L F W H N A P H
V R I U E L A L L I U W T S O
L R S G L P V E E L A R B U H
L A R H A X E I Z L H E A C R
U B D A T E L V A I C N X T C
H K T D B W D H H P R C C M M
L P P H L P B L Q S F E M O U
```

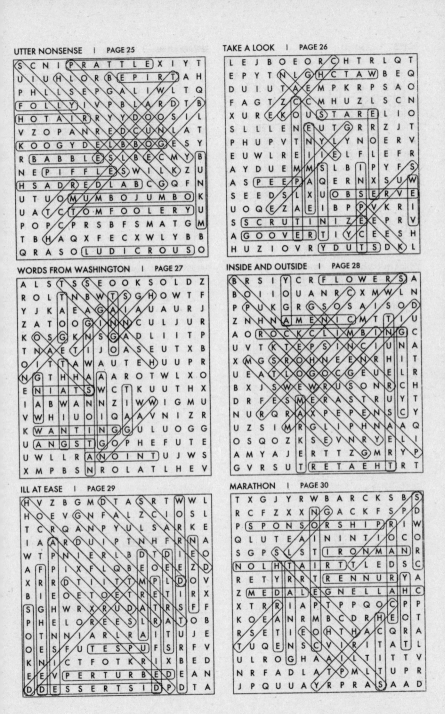

UTTER NONSENSE | PAGE 25

TAKE A LOOK | PAGE 26

WORDS FROM WASHINGTON | PAGE 27

INSIDE AND OUTSIDE | PAGE 28

ILL AT EASE | PAGE 29

MARATHON | PAGE 30

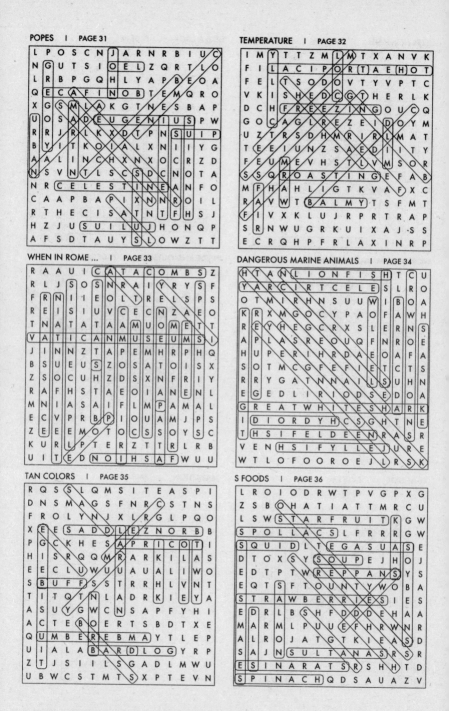

POPES | PAGE 31

```
L P O S C N J A R N R B I U C
N G U T S I O E L Z Q R T L O
L R B P G Q H L Y A P B E O A
Q E C A F I N O B T E M Q R O
X G S M L A K G T N E S B A P
U O S A D E U G E N I U S P W
R R J R L K X D T P N S U I P
B Y I T K O I A L X N I I Y G
A A L I N C H X N X O C R Z D
N S V N T L S C S D C N O T A
N R C E L E S T I N E A N F O
C A A P B A P I X N N R O I L
R T H E C I S A T N T F H S J
H Z J U S U I L U J H O N Q P
A F S D T A U Y S L O W Z T T
```

TEMPERATURE | PAGE 32

```
I M Y T T Z M L M T X A N V K
F I L A C I P O R T A E H O T
F E L T S O D O V T Y V P T C
V K I S H E D C G T H E R L K
D C H F R E E Z I N G O U C Q
G O C A G L R E Z E I D O Y M
U Z T R S D H M R I R L M A T
T E E I U N Z S A E D I I T Y
F E U M E V H S T L V M S O R
S S Q R O A S T I N G E F A B
M F H A H L I G T K V A F X C
R A V W T B A L M Y T S F M T
F I V X K L U J R P R T R A P
S R N W U G R K U I X A J S S
E C R Q H P F R L A X I N R P
```

WHEN IN ROME ... | PAGE 33

```
R A A U I C A T A C O M B S Z
R L J S O S N R A I Y R Y S F
F R N I I E O L T R E L S P S
R E I S I V C E C N Z A E O T
T N A T A T A U M O M E T T T
V A T I C A N M U S E U M S S
J I N N Z T A P E M H R P H Q
B S U E U S S Z O S A T O I J
Z S O C U H Z D S X N F R I Y
R A F H S T A E O I A N E N L
M N I A S A I F L M P A M I H
E C V P R B P I O U A M J P S
Z E E E M O T O C S S O Y S C
K U R L P T E R Z T T R L R B
U I T E D N O I H S A F W U U
```

DANGEROUS MARINE ANIMALS | PAGE 34

```
H T A N L I O N F I S H T C U
Y A R C I R T C E L E S L R O
O T M I R H N S U U W I B O A
K R X M G O C Y P A O F A R H
R E Y H E G C R X S L E R N S
A P L A S R E O U Q F N W O E
H U P E R I H R D A E O A T A
R S O T M C G F E F I E T C S
R R Y G A T N N I L S S U H O
E G E D L I R I O D S E I R U
G R E A T W H I T E S H A R K
I D I O R D Y H C S G H T N E
T H S I F E L D E E N R A S R
V E N H S I F Y L L E J U R E
W T L O F O O R O E J L R S K
```

TAN COLORS | PAGE 35

```
R Q S S L Q M S I T E A S P I
D N S M A G S F N R C S T N S
F R O L Y N J X L R G L P Q O
X E E S A D D L E Z N O R B B
P G C K H E S A P R I C O T I
H I S R Q Q M R A R K I L A S
E E C L U W U A U A L I W O
S B U F F S S T R R H L V N T
T I T Q T N L A D R K I E Y I
A S U Y G W C N S A P F Y H I
A C T E B O E R T S B D T X E
Q U M B E R E B M A Y T L E P
U I A L A B A R D L O G Y R P
Z T J S I I L S G A D L M W U
U B W C S T M T S X P T E V N
```

S FOODS | PAGE 36

```
L R O I O D R W T P V G P X G
Z S B O H A T I A T T M R C U
L S W S T A R F R U I T K G W
S P O L L A C S L F R R R G W
S Q U I D L T E G A S U A S E
D T O X S Y S O U P E J H O J
E D T P T W R E P P A N S B
E Q T S F T O U N T Y W O B A
S T R A W B E R R I E S I E
E D R L B S H F D D D E H A A
M A R M L P U U E F H R W N R
A L R O J A T G T K I E A S J
S A J N S U L T A N A S R J
E S I N A R A T S R S H H T D
S P I N A C H Q D S A U A Z V
```

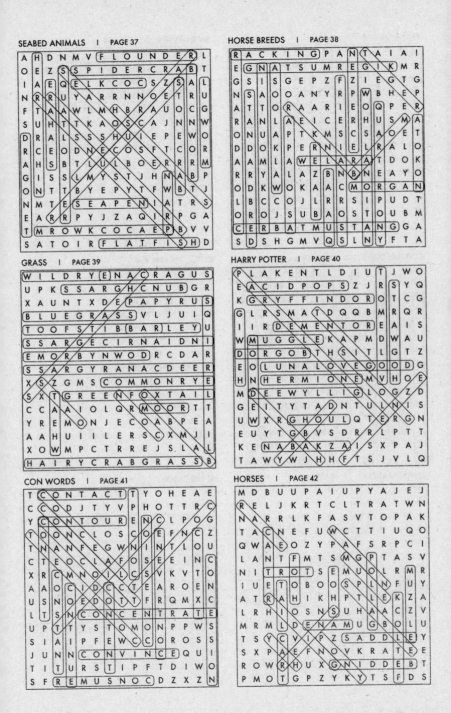

SEABED ANIMALS | PAGE 37

```
A H D N M V F L O U N D E R L
O E Z S S P I D E R C R A B T
I N A E Q E L K C O C S Z S A L
N F R U Y A R R N N O E T R U
S U R A W L M H B R A U O C G
T H T T K A O S C A J N N N
U R A L S S S H U I E P E W O R
R C E O D N E C O S F T C O M
C H S B T L U L B O E R R R M
H I N S L M Y S T J H N A B P
A O N T T B Y E P Y T F W B T J
N M T E S E A P E N I A T R S
E A R R P Y J Z A Q I R P G A
T M R O W K C O C A E P B V V
S A T O I R F L A T F I S H D
```

HORSE BREEDS | PAGE 38

```
R A C K I N G P A N T A I A I
E G N A T S U M R E G I K M R
G S I S G E P Z F Z I E G T G
N S A O O A N Y R P W B H E P
A T O R A A R I E O Q P E R
R A N L A E I C E R H U S M A
O N U A P T K M S C S A O E T O
D A D O K P E R N I E L R A L K
A A M L A W E L A R A T D O
R R Y A L A Z B N B N E A Y O
O D K W O K A A C M O R G A N
L B C C O J L R R S I P U D T
O R O J S U B A O S T O U B M
C E R B A T M U S T A N G G A
S D S H G M V Q S L N Y F T A
```

GRASS | PAGE 39

```
W I L D R Y E N A C R A G U S
U P K S S A R G H C N U B G R
X A U N T X D E P A P Y R U S
B L U E G R A S S V L J U I Q
T O O F S T I B B A R L E Y U
S S A R G E C I R N A I D N I
E M O R B Y N W O D R C D A R
S S A R G Y R A N A C D E E R
X S Z G M S C O M M O N R Y E
S X T G R E E N F O X T A I L
C C A A I O L Q R M O O R T T
Y R E M O N J E C O A B P E A
A A H U I I L E R S C X M J I
X O W M P C T R R E J S L A L
H A I R Y C R A B G R A S S B
```

HARRY POTTER | PAGE 40

```
P L A K E N T L D I U T J W O
E A C I D P O P S Z J R S Y Q
K G R Y F F I N D O R O T C G
G L R S M A T D Q Q B M R Q R
I I R D E M E N T O R E A I S
W M U G G L E K A P M D W A U
D O R G O B T H S I T L G T Z
E O L U N A L O V E G O O D G
N H E R M I O N E M V H O E
M D E E W Y L L I G L O G Z Z
G E I T Y T A D N T U L N I S
U W X R G H O U L Q T E R G N
E U Y T G B V S D R R L P T T
K E N A B A K Z A I S X P A J
T A W Y W J H H F T S J V L Q
```

CON WORDS | PAGE 41

```
T C O N T A C T T Y O H E A E
C C O D J T Y V P H O T T R C
Y C O N T O U R E N C L P O G
T O O N C L O S C O E F N C Z
T N A N F C L G W N I N T L O U
C T E O C L A F O S E E I N C
X R C M N O I L C S V K V T O
A A O C I D C C T E A R O E N
U L N O E D O T T F R Q M X C
L P T I N C O N C E N T R A T E
U P T T Y S T O M O N P P W S
S I A I P F E W C C O R O S S
J U N N C O N V I N C E Q U I
T I T U R S T I P F T D I W O
S F R E M U S N O C D Z X Z N
```

HORSES | PAGE 42

```
M D B U U P A I U P Y A J E J
R E L J K R T C L T R A T W N
N A R R L K F A S V T O P A K
T A C N E F U W C T T I U Q O
Q W A E O Z Y P A F S R P C I
L A N T F M T S M G P T A S V
N I T R O T S E M U O L R M R
I U E T O B O O S P L N F U Y
A T R A H I K H P T L E K Z A
L R H I O S N S U H A A C Z V
M R M L D E N A M U G B O L U
T S Y C V I P Z S A D D L E E
S X P A E F N O V K R A T E
R O W R H U X G N I D D E B T
P M O T G P Z Y K Y T S F D S
```

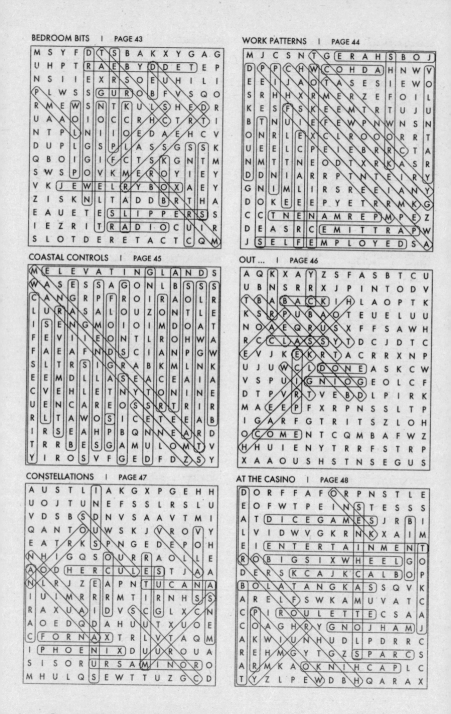

BEDROOM BITS | PAGE 43

COASTAL CONTROLS | PAGE 45

CONSTELLATIONS | PAGE 47

WORK PATTERNS | PAGE 44

OUT ... | PAGE 46

AT THE CASINO | PAGE 48

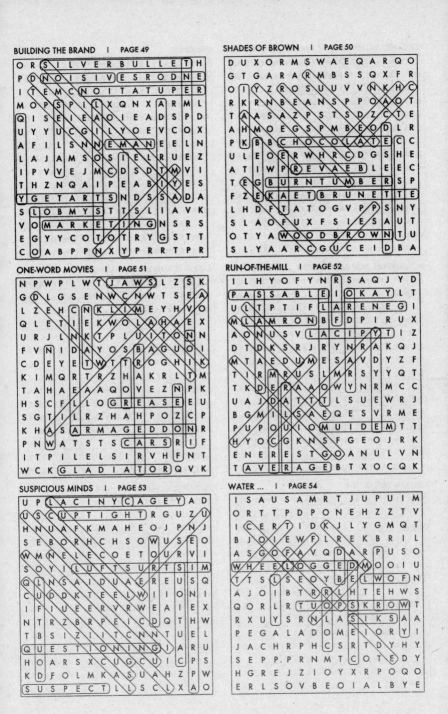

BUILDING THE BRAND | PAGE 49

SHADES OF BROWN | PAGE 50

ONE-WORD MOVIES | PAGE 51

RUN-OF-THE-MILL | PAGE 52

SUSPICIOUS MINDS | PAGE 53

WATER ... | PAGE 54

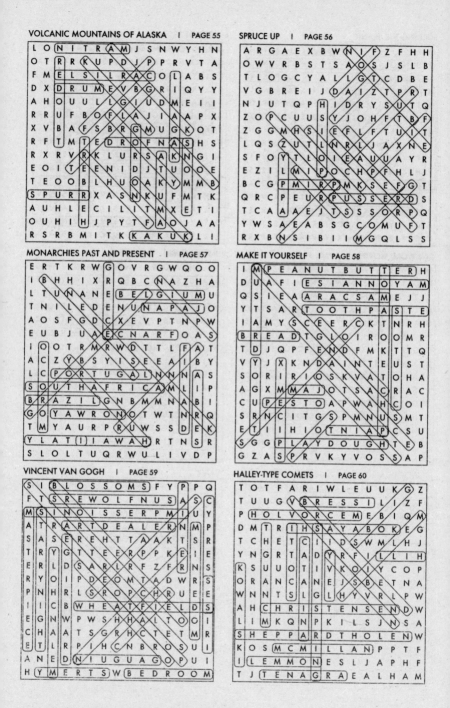

VOLCANIC MOUNTAINS OF ALASKA | PAGE 55

SPRUCE UP | PAGE 56

MONARCHIES PAST AND PRESENT | PAGE 57

MAKE IT YOURSELF | PAGE 58

VINCENT VAN GOGH | PAGE 59

HALLEY-TYPE COMETS | PAGE 60

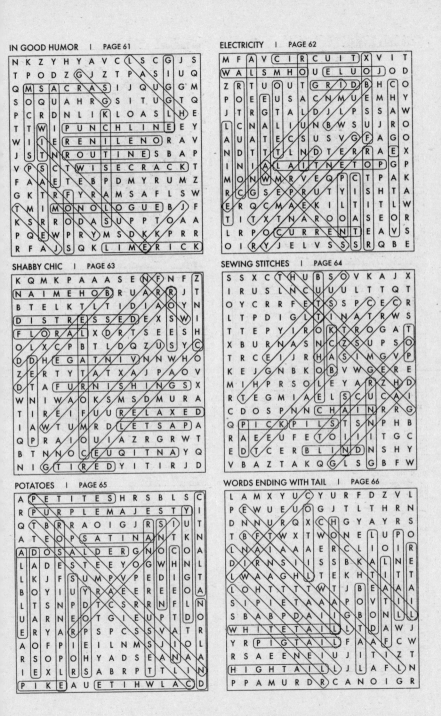

IN GOOD HUMOR | PAGE 61

ELECTRICITY | PAGE 62

SHABBY CHIC | PAGE 63

SEWING STITCHES | PAGE 64

POTATOES | PAGE 65

WORDS ENDING WITH TAIL | PAGE 66

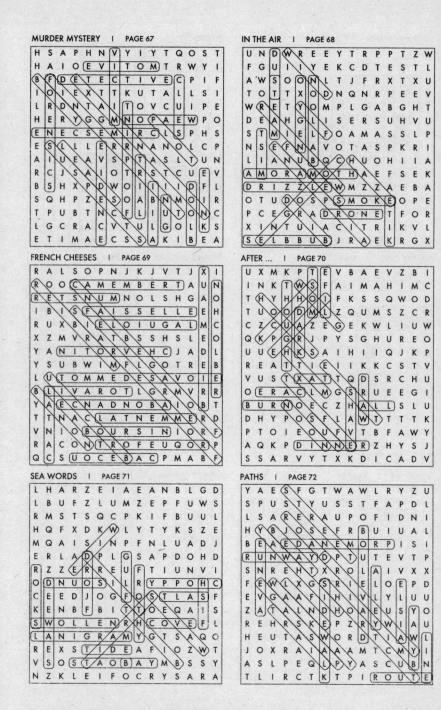

MURDER MYSTERY | PAGE 67

```
H S A P H N V Y I Y T Q O S T
H A I O E V I T O M T R W Y I
B F D E T E C T I V E C P I F
I O I E X T T K U T A L L S I
L R D N T A I T O V C U I P E
H E R Y G G M N O P A E W P O
E N E C S E M I R C L S P H S
E S L L E R R N A N O L C P
A I U E A V S P T A S L T U N
R C J S A I O T R S T C U E
B S H X P D W O I I I D F L
S Q H P Z E S O A B N M O I
T P U B T N C F L I U T O N
L G C R A C V T U L G O L K
E T I M A E C S S A K I B E A
```

IN THE AIR | PAGE 68

```
U N D W R E E Y T R P P T Z W
F G U I I Y E K C D T E S T L
A W S O O N L T J F R X T X U
T O T T X O D N Q N R P E E V
W R E T Y O M P L G A B G H T
D E A H G L I S E R S U H O U
T M I E L F O A M A S S L P
N S E F N A V O T A S P K R I
L I A N U B Q C H U O H I I A
A M O R A M O T H A E F S E K
D R I Z Z L E W M Z Z A E B A
O T U D O S P S M O K E O P E
P C E G R A D R O N E T F O R
X I N T U I A C I T R I K V L
S E L B B U B J R A E K R G X
```

FRENCH CHEESES | PAGE 69

```
R A L S O P N J K J V T J X I
R O O C A M E M B E R T A U N
R E T S N U M N O L S H G A O
I B I S F A I S S E L L E E H
R U X B I E L O I U G A L M C
X Z M V R A T B S S H S L E O
Y A N I T O R V E H C J A D L
Y S U B W I M F L G O T R E B
L U T O M M E D E S A V O I E
B L I V A R O T L G R M V R R
Y A E C N A D N O B A I O S R
T T N A C L A T N E M M E R D
V N I O B O U R S I N I O R P
R A C O N T R O F E U Q O R P
Q C S U O C E B A C P M A B F
```

AFTER ... | PAGE 70

```
U X M K P T E V B A E V Z B I
I N K T W S F A I M A H I M C
T H Y H H O I F K S S Q W O D
T U O D M L Z Q U M S Z C R U
C Z C U A Z E G E K W L I U W
Q K P G R J P Y S G H U R E O
U U E H K S A I H I I Q J K P
R E A T T I E I I K K C S T V
V U S T X A T T Q D S R C H U
O E R A C L M G S R U E E G I
B U R N O E C Z H A L L S L U
D H Y P O S F L A W T I F H I
P T O I E O U F V T B F A W Y
A Q K P D I N N E R Z H Y S J
S S A R V Y T X K D I C A D V
```

SEA WORDS | PAGE 71

```
L H A R Z E I A E A N B L G D
L B U F Z L U M Z E P F U W S
R M S T S Q C P K I F B U U L
H Q F X D K W L Y T Y K S Z E
M Q A I S I N P F N L U A D J
E R L A D P L G S A P D O H D
R Z Z E R R E U F T I U N V I
O D N U O S I L R Y P P O H C
C E E D J O G F O S T L A S F
K E N B F B I T T O E Q A I S
S W O L L E N R H C O V E F L
L A N I G R A M Y G T S A Q O
R E X S T I D E A F I O Z W T
V S O S T A O B A Y M B S S Y
N Z K L E I F O C R Y S A R A
```

PATHS | PAGE 72

```
Y A E S F G T W A W L R Y Z U
S P U S T Y U S S T F A P D L
L S A R E R A U P O F I D N I
H Y B J O S E F R B U I U A L
B E A E D A N E M O R P I S I
R U N W A Y D P T U T E V T P
S N R E H T X R O L A I V X X
F E W L X G S R I E L O E P D
E V G A A F I H I V L L U U
Z A T A L N D H O A E U S Y O
R E H R S K E P Z R Y W I A U
H E U T A S W O R D T I A W L
J O X R A I A A A M T C M Y I
A S L P E Q L P Y A S C U B N
T L I R C T K T P I R O U T E
```

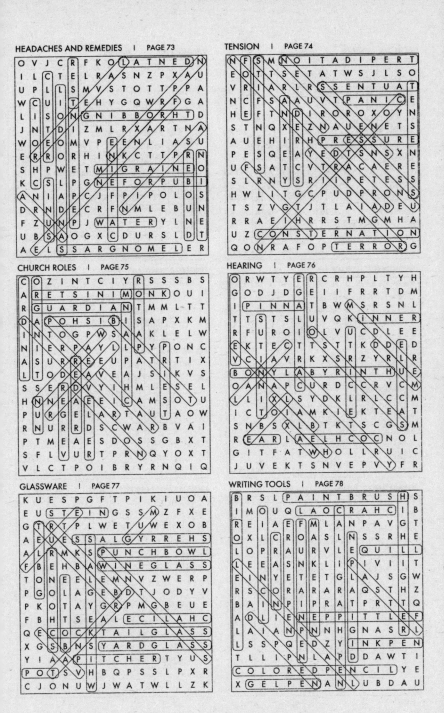

HEADACHES AND REMEDIES | PAGE 73

TENSION | PAGE 74

CHURCH ROLES | PAGE 75

HEARING | PAGE 76

GLASSWARE | PAGE 77

WRITING TOOLS | PAGE 78

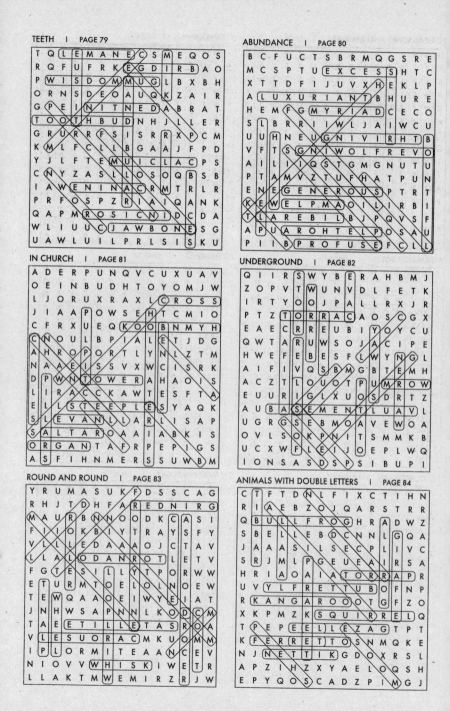

TEETH | PAGE 79

ABUNDANCE | PAGE 80

IN CHURCH | PAGE 81

UNDERGROUND | PAGE 82

ROUND AND ROUND | PAGE 83

ANIMALS WITH DOUBLE LETTERS | PAGE 84

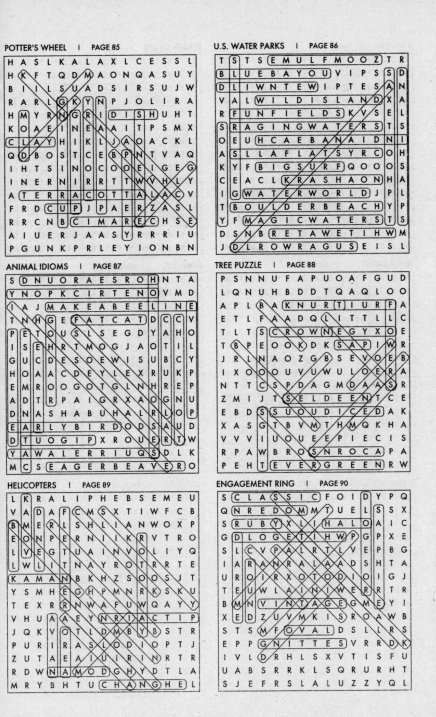

POTTER'S WHEEL | PAGE 85

U.S. WATER PARKS | PAGE 86

ANIMAL IDIOMS | PAGE 87

TREE PUZZLE | PAGE 88

HELICOPTERS | PAGE 89

ENGAGEMENT RING | PAGE 90

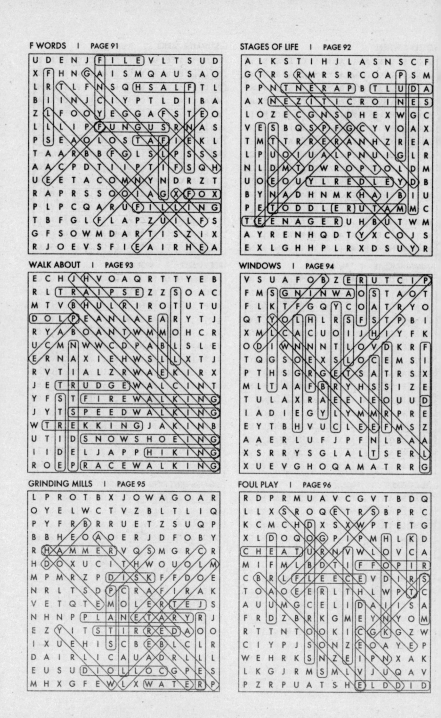

F WORDS | PAGE 91

```
U D E N J F I L E V L T S U D
X F H N G A I S M Q A U S A O
L R T L F N S Q H S A L F T L
B I I N J C I Y P T L D I B A
Z L F O O Y E G G A F S T E O
L L L I P F U N G U S R N A S
P S E A O L O S T A F I E K L
T A A R B B F G L S L P S S S
A A C P D T I I P T I F S Q H
U E E T A C O M N Y N D R Z T
R A P R S S O O I A G X F O X
P L P C Q A R U F I L L X I N G
T B F G L F L A P Z U I L F S
G F S O W M D A R T I S Z I X
R J O E V S F I E A I R H E A
```

STAGES OF LIFE | PAGE 92

```
A L K S T I H J L A S N S C F
G T R S R M R S R C O A P S M
P P N T N E R A P B T L U D A
A X N E Z I T I C R O I N E S
L O Z E C G N S D H E X W G C
V E S B Q S P F G C Y V O A X
T M T T R E R A N H Z R E A
L P U O I U A L P N U I G L R
N L D M T D W R O P T O L D
U O E O U Y L R E D L E Y D
B Y N A D H N M K H A I B I U
P E T O D D L E R U T A M M
T E E N A G E R U H B U T W M
A Y R E N H Q D T Y X C O J S
E X L G H H P L R X D S U Y R
```

WALK ABOUT | PAGE 93

```
E C H J H V O A Q R T T Y E B
R L T R A I P S E Z Z S O A C
M T V B H U L R I R O T U T U
D O L P E A N L A E A R Y T J
R Y A B O A N T W M M O H C R
U C M N W C D P A B L S L E
E R N A X I E H W S L L X I X
R V T I A L Z R W A E K I R X
J E T R U D G E W A L C I N T
Y F S T F I R E W A L K I N G
J Y T S P E E D W A L K I N G
W T R E K K I N G J A K I N B
U T I D S N O W S H O E I N G
I I D E L J A P P H I K I N G
R O E P R A C E W A L K I N G
```

WINDOWS | PAGE 94

```
V S U A F O B Z E R U T C I P
F M S G N I N W A O S T A O T
F L K T F G Q Y C O A T R Y O
Q T Y O L H L R S F S T P B I
X M L C A C U O I J H I Y F K
O D I W N N N T L O D K R F
T Q G S O E X S L O C E M S I
P T H S G R G E T S A T R S X
M L T A A F B R Y H S S I Z E
T U L A X R A E E I E O U U D
I A D I E G Y L Y M M R P R E
E Y T B H V U C L E E F M S Z
A A E R L U F J P F N L B A J
X S R R Y S G L A L T S E R L
X U E V G H O Q A M A T R R G
```

GRINDING MILLS | PAGE 95

```
L P R O T B X J O W A G O A R
O Y E L W C T V Z B L T L I Q
P Y F R B R R U E T Z S U Q P
B B H E O A O E R J D F O B Y
R H A M M E R V Q S M G R C R
H D O X U C I T H W O U O L M
M P M R Z P D I S K F F D O E
N R L T S D P C R A F I R A K
V E T Q T E M O L E R T E J S
N H N P P L A N E T A R Y R J
E Z Y I T S T I R R E D A O O
I X U E H I S C B E B L C L R
D A I R L I C A U A D R L L L
E U S U D I O L L O C G P E S
M H X G F E W L X W A T E R P
```

FOUL PLAY | PAGE 96

```
R D P R M U A V C G V T B D Q
L L X S R O Q E T R S B P R C
K C M C H D X S X W P T E T G
X L D O Q O G P I P M H L K D
C H E A T U R N V W L O V C A
M I F M L B D T I F F O P I R
C B R L F L E E C E V D I R S
T O A O E R L T H L W P T C
A U U M G C E L I D A I I S A
F R D Z B R K G M E Y N Y O M
R T T N T O O K I C G K X Y P
C I Y P J S O N Z E O A Y E P
W E H R K S N Z E I P N X A K
L K G J R M S M L V J U Q A V
P Z R P U A T S H E L D D I D
```

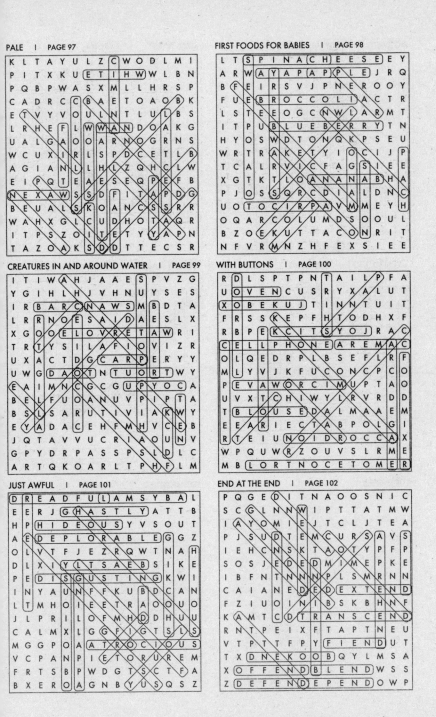

CREATURES IN AND AROUND WATER | PAGE 99

WITH BUTTONS | PAGE 100

JUST AWFUL | PAGE 101

END AT THE END | PAGE 102

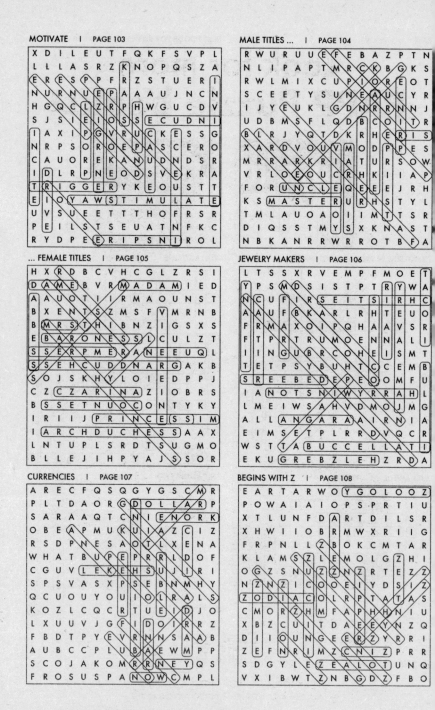

MOTIVATE | PAGE 103

MALE TITLES ... | PAGE 104

... FEMALE TITLES | PAGE 105

JEWELRY MAKERS | PAGE 106

CURRENCIES | PAGE 107

BEGINS WITH Z | PAGE 108

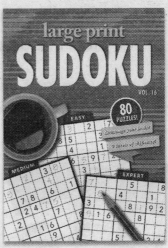